Oscar González Muñoz

Gestión de riesgos en las organizaciones

Enfoque de aplicación particular a sistemas de gestión con el soporte de la norma ISO 31000

Editorial Académica Española

Imprint

Any brand names and product names mentioned in this book are subject to trademark, brand or patent protection and are trademarks or registered trademarks of their respective holders. The use of brand names, product names, common names, trade names, product descriptions etc. even without a particular marking in this work is in no way to be construed to mean that such names may be regarded as unrestricted in respect of trademark and brand protection legislation and could thus be used by anyone.

Cover image: www.ingimage.com

Publisher:
Editorial Académica Española
is a trademark of
International Book Market Service Ltd., member of OmniScriptum Publishing Group
17 Meldrum Street, Beau Bassin 71504, Mauritius
Printed at: see last page
ISBN: 978-620-0-34539-4

Copyright © Oscar González Muñoz
Copyright © 2020 International Book Market Service Ltd., member of OmniScriptum Publishing Group

Gestión de riesgos en las organizaciones

Enfoque de aplicación particular a sistemas de gestión con el
soporte de la norma ISO 31000

Oscar González Muñoz

Mayo de 2020

Contenido

Contenido

Dedicatorias

Este libro lo dedico especialmente a mi gran compañera y amiga de toda la vida: Ana.

A mis *chiquillos* Maritza y Omar, ¡siempre serán fuente de inspiración para mí y es por ustedes que día a día busco superarme y ser el padre del que se sientan orgullosos!

A algunas personas que considero especiales, que me apoyan, me alientan y que algunos son una gran influencia en mi vida personal y profesional, entre ellos:

- al profesor de atletismo José Luis Peralta Barradas, gran amigo del ITTLA,
- a mi querida maestra Maruxa Armijo,
- a mis amigos de la secundaria -porque quiero compartir mis triunfos con ustedes: Miguel Otero, Miguel Enríquez, Gilberto, Javier Becerra, Javier Ortega, J. A. Mancilla, Eulalio Rodríguez, Isabel Bello, Ivonne Chávez, J.V.G. Pasten, Omar S., María del Carmen González, Adriana Lucia H., Marina Olvera, Alfonso López, César Zivago, Reyna L., Agustín Martínez, Agustín Sánchez, Juana Parra, Elsa D., Heladio O., Gabriel P., Juan M. Rico, Laura R., Judith Minerva, María de la Luz S., Pepe Rocha, Tere Estrada, Edeza, Viveros, Rosalba, Rosa E., Campusano, Norma y más,
- al Ing. Miguel Ángel Rosales de Furoseal,
- a Petra Maria Schwarzinger Gibelhauser y a Elsa García Duarte, amigas de la vida,
- al Dr. Gabriel Hernández, al Mtro. Marco Antonio Vázquez y al Mtro. Leonel Montejo, los tres de Villahermosa Tabasco,
- al grupo de amigos especiales-exalumnos como: Adolfo, Karen, Víctor, Alejandro y Gina,
- y a mis grandes amigos de la escuela, de la música y de la vida: Mario Sánchez Palomino, Miguel Reyes Ayala, Juan Carlos Guerra -donde quiera que estés-, Armando Yañez y Andrés Cristobal Quintero Soto.

Agradecimientos

Agradezco a todos aquellas personas que a través de los años contribuyeron a mi formación escolar y profesional. Ahora recuerdo al maestro Peña de la primaria Ignacio Manuel Altamirano, al maestro Santiago de la Esc. Sec. Fed. 18, al Ing. Vilchis y al Ing. R. A. Lozano González ambos del ITTLA, al Mtro. Salvador García Briones de la FCA UNAM, al Dr. Isidoro Pastor de la ESCA IPN, a Luis Lagunas mi primer gran maestro en la vida profesional, a los doctores Jorge Ríos Salay y Angélica Riveros Rosas también de la FCA UNAM, entre mucho otros.

Agradezco de manera especial a Cristina Garibay Bagnis por sus comentarios y consejos para lograr el mejor tratamiento posible de este tema fascinante que es la gestión de riesgos.

Agradezco particularmente a Daniel Martín Villafaña Becerra y a Aarón Ávila González por su gran colaboración y esfuerzo para que pudiera configurar de manera adecuada este libro. Y a Carlos Hernández López por su soporte en la creación de los archivos de las matrices de riesgo.

Prologo

Inevitablemente vivimos un proceso de selección natural del cual sobrevivirán aquellos sectores y organizaciones que estén mejor preparados.

Todos quienes integramos las organizaciones, directivos, gerentes, técnicos y operadores, tomamos decisiones a diario, principalmente para solventar desviaciones o fallas, cuya ocurrencia en muchas ocasiones deriva de la falta previsión y control de sus causas y de su probable ocurrencia e impacto en los resultados de nuestras organizaciones.

En un mundo lleno de incertidumbre y riesgos, es difícil actuar con certeza y mantener el control de todos los riesgos o sus impactos asociados; los eventos actuales que hemos vivido han sido críticos tanto para la sociedad como para las organizaciones, pueden afectar la salud, el medio ambiente, la economía, la seguridad y el bienestar del personal aunado a los riesgos propios de los ecosistemas organizacionales. Enfrentamos la necesidad de implantar procesos sistemáticos para la gestión del riesgo, para manejar sus controles y establecer mecanismos preventivos, que es precisamente el planteamiento que hace el autor al profundizar en el análisis y explicación de la Norma ISO 31000.

Las organizaciones preocupadas por el cumplimiento de objetivos logran sortear con éxito sus riesgos al identificarlos y controlarlos para poder gestionar sus sistemas, procesos, proyectos y funciones en niveles de incertidumbre manejables, que les permitan no solo sobrevivir sino capitalizar su experiencia para enfrentar nuevos retos.

El libro de Gestión de Riesgos en las organizaciones parte de un planteamiento muy integral y claro de los fundamentos y definiciones que permiten entender el sentido y significado del riesgo, fundamenta su gestión en la Norma ISO 31000 y hace un análisis de antecedentes y enfoques en normas aplicables a la calidad, seguridad de la información, seguridad y salud en el trabajo, inocuidad en los alimentos y en normas propias de diversos sectores como el de servicios en tecnologías de la información y educación, lo cual permite identificar preocupaciones y enfoques comunes que justifican los principios y guías generales para una teoría unificada para la gestión de riesgos. Se expone también un enfoque práctico para el análisis de diversas metodologías para la evaluación y estimación del riesgo, brindando para resolver esta fase del proceso de gestión de riesgos de la propia norma y resolver la preocupación de los dueños de los procesos respecto a su evaluación.

Es interesante conocer el marco de referencia para la gestión de riesgo que establece con un enfoque sistemático y preventivo la Norma ISO 31000 y que permite, como plantea Oscar González; "dimensionar su aplicación en todas las actividades y en toda la organización, incluyendo la toma de decisiones y la consideración de los cambios en los contextos interno y externo"; y es en esto último que la gestión de riesgos se convierte en un enfoque estratégico en el que los peligros y riesgos inherentes a la organización pueden ser asumidos como retos u oportunidades tanto para el establecimiento de controles como para la innovación, la planeación, el diseño de modelos de negocio y la integración de nuevas tecnologías como elementos de su cultura.

El reto para el lector es integrar un plan para la gestión de riesgos que asegure la competitividad y sostenibilidad de su organización y que garantice que esta actividad se convierta en una cultura preventiva a través de un trabajo sistemático para la identificación, evaluación, solución, medición y mejora de los riesgos y sus causas, aplicando los lineamientos de la Norma ISO 31000.

Israel Mendoza García
(Asesor máster del Modelo Nacional
para la Competitividad - México)

Introducción

La *gestión de riesgos* como gran herramienta de gestión organizacional es un tema relativamente nuevo, sus inicios comienzan a finales de los años 90's y su aplicación principalmente se centra en el área financiera. Sin embargo, cabe aclarar que algunas disciplinas como la ambiental o la de seguridad y salud en el trabajo llevan años trabajando en esquemas similares o prácticamente iguales, sólo cambia el punto de vista de la aplicación y los conceptos involucrados, incluso en el sector alimenticio también se han desarrollado técnicas que permiten identificar los peligros y valorar los riesgos de las actividades que pueden causar un problema de salud a los consumidores de sus productos. De la misma manera, el sector automotriz ha utilizado algunas herramientas para identificar los riesgos asociados tanto para el diseño de productos como para los procesos de manufactura.

En la actualidad y, hablando específicamente de los sistemas de gestión que las organizaciones adoptan para mejorar los resultados, nos encontramos ante una época de cambios y en la que a partir de la nueva publicación de la norma ISO 9001 versión 2015 y las normas de sistemas de gestión editadas subsecuentemente, llevan implícita la orientación al uso de esquemas de *gestión de riesgos* para garantizar que se cumple con los objetivos y estrategias particulares a cada sistema de gestión y a los propios de la organización.

Entonces, el estudio de la gestión de riesgos se hace, hoy más que nunca, esencial para:

1. Aplicar los procesos necesarios para que las organizaciones anticipadamente identifiquen aquellos elementos o situaciones que pueden impedir que se logren los resultados esperados y

2. Dar cumplimiento a lo que se solicita en los sistemas de gestión con relación al desarrollo de acciones para abordar los riesgos y oportunidades.

Existen varios modelos para dar tratamiento a los riesgos, sin embargo, en este texto se hace un análisis básico de la norma internacional ISO 31000 que da las directrices necesarias para gestionar los riesgos en una organización independientemente del giro o sector al que perteneces y del alcance al interior de ella; además se analizarán algunas de las técnicas más amigables para la apreciación o estimación del riesgo de tal manera que los lectores cuenten con herramientas que les permitan gestionarlos y por lo tanto elevar la probabilidad de alcanzar los objetivos trazados en sus organizaciones.

También se hace un resumen básico de los requerimientos con relación a la solicitud de establecer acciones para abordar riesgos y oportunidades de los sistemas de gestión de mayor demanda en la actualidad.

1. Antecedentes

Antecedentes generales de la gestión de riesgos.

Cuando se menciona la palabra riesgo, generalmente lo asociamos a eventos nocivos o negativos, aunque no necesariamente los actos relacionados tengan una probabilidad lo suficientemente alta para poder materializarse. Quizá nuestra naturaleza o instinto de conservación se activa y nos hace pensar en potenciales consecuencias negativas de ciertos actos o actividades a llevar a cabo.

Aunque más adelante se van a explicar las definiciones contemporáneas y más utilizadas de riesgos, conviene mencionar como lo cita De Lara Haro (2016)[1]: *"La palabra riesgo proviene del latín risicare, que significa atreverse o transitar por un sendero peligroso."*

Esta definición hace recordar la frase: bajo tu propio riesgo, que se menciona cuando está implícito que la actividad a realizar conlleva varios problemas que seguramente impedirán alcanzar el resultado previsto.

Por eso, cuando hablamos de riesgo en un lenguaje común se asocia a que algo malo puede suceder en lo que vamos a emprender. Por ejemplo, cuando vamos de vacaciones, pensamos en que no se nos vayan a olvidar las cosas esenciales como podría ser el traje de baño, el protector solar o el equipo para esnorquear. Y en dichas situaciones, ya estamos utilizando el enfoque preventivo del análisis y evaluación de riesgos, porque, sería desagradable llegar a nuestro destino y darse cuenta de que se nos olvidó algo que podría echar a perder nuestras vacaciones. Al menos mentalmente hacemos una evaluación de los riesgos asociados al salir de vacaciones.

En los negocios el término de riesgo lo relacionamos a una pérdida potencial o a la no obtención de cierta ganancia en un tiempo futuro. También se suele utilizar el término riesgo como referencia para realizar o no una inversión y obtener cierta ganancia o beneficio en función justamente del riesgo asociado.

En las organizaciones, la mayoría de las veces no basta hacer un análisis o cálculo mental del riesgo, por lo que recurrimos a diferentes metodologías para tener una mejor idea del riesgo en términos cualitativos o cuantitativos. Esas metodologías son relativamente nuevas, sin embargo, De Lara Haro[2] detalla una serie de eventos que dan la pauta a la creación de los métodos para el cálculo o estimación del riesgo:

a. Girolamo Cardano (1500-1571), a través del estudio de juegos de azar, en particular con los dados, realizó múltiples análisis de probabilidad.

b. … el libro que desarrolla los principios de la teoría de la probabilidad se denominó Liber de Ludo Aleae (Libro de juegos de azar), publicado en 1663, después de que Cardano murió. En esta obra propuso el término "probable", que se refiere a eventos cuyo resultado es incierto. Por ello, Cardano se puede considerar como la primera persona que se refirió al riesgo mediante la probabilidad como medida de frecuencia relativa de

---

[1] De Lara Haro, A. (2016). *Medición y control de riesgos financieros* (3 ed.). México: Limusa. pp. 13
[2] Ídem

eventos aleatorios.

c. ... una idea más reciente del término probabilidad se asocia con resultados futuros que miden el grado de incertidumbre. Este último concepto se desarrolló cuando fue posible medir cuantitativamente la probabilidad con la frecuencia relativa de eventos pasados.

Y continuaron los diferentes estudios con relación a la probabilidad y su teoría; entre los autores que destacan en estos estudios se encuentran[3]:

- Galileo (1564-1642) con su obre Sopra le Scoperte dei Dadi (Jugando a los dados). En él, como en la obra de Cardano, Galileo analiza la frecuencia de diferentes combinaciones y posibles resultados al tirar los dados.
- Tres personajes que siguieron a Cardano y Galileo propusieron un método sistemático para medir la probabilidad: Pierre de Fermat Fermat utilizó conceptos algebraicos, Chevalier de Mére fue intuitivo y filósofo y Blas Pascal aplicó conceptos geométricos a la teoría de la probabilidad (mediante el triángulo de Pascal es posible analizar las probabilidades de un evento).
- Los avances en álgebra y cálculo diferencial e integral que ocurrieron en los siglos XVII y XVIII propiciaron múltiples aplicaciones en la teoría de la probabilidad, desde la medición de riesgos en seguros e inversiones, hasta temas relacionados con medicina, física y pronóstico de las condiciones del tiempo.
- Daniel Bernoulli definió un proceso sistemático para la toma de decisiones, basado en probabilidades, situación que dio lugar a lo que hoy se conoce como teoría de juegos e investigación de operaciones.
- Thomas Bayes aportó una nueva teoría de la probabilidad, demostrando cómo tomar mejores decisiones incorporando nueva información a informes anteriores.
- En 1875, Francis Galton transformó el concepto de probabilidad estático en uno dinámico.
- En 1959, Harry Markowitz, desarrolló la teoria de portafolios y el concepto de que en la medida en que se añaden activos a una cartera de inversión, el riesgo (medido a través de la desviación estándar) disminuye como consecuencia de la diversificación. También propuso el concepto de covarianza y correlación, es decir, en la medida en que se tienen activos negativamente correlacionados entre sí, el riesgo de mercado de una cartera de activos disminuye.

De Lara Haro continúa mencionando otros desarrollos principalmente para el área de riesgos financieros, sin embargo, es pertinente decir que esta evolución que se ha indicado sigue vigente: en la actualidad, la norma ISO 31010 considera lo siguientes métodos como válidos para la apreciación del riesgo: Análisis Markov, Simulación Monte-Carlo y Estadísticas Bayesianas y redes Bayes[4].

---

[3] De Lara Haro, A. (2016). *Medición y control de riesgos financieros* (3 ed.). México: Limusa. pp. 14 - 15.

[4] De acuerdo con ISO 31010, el Análisis Markov es el análisis a veces llamado análisis *estado-espacio*, se utiliza comúnmente para analizar sistemas complejos reparables que pueden existir en múltiples estados, incluidos distintos estados degradados. La Simulación Monte-Carlo se utiliza para establecer la variación agregada en un sistema, resultante de diversas variaciones del sistema, para un determinado número de entradas de datos, donde cada entrada tiene una distribución definida y las entradas están relacionadas con las salidas de datos a través de relaciones definidas. La simulación se puede aplicar para un modelo específico donde las interacciones de las diversas entradas se pueden definir matemáticamente. Las entradas se pueden basar en una variedad de tipos de distribución de acuerdo con la naturaleza de la incertidumbre que tales entradas están destinadas a representar. Para la apreciación del riesgo, se utilizan normalmente distribuciones triangulares o distribuciones beta. Y el Análisis

Ahora bien, en el sector industrial, específicamente en la industria militar, el ejército de los Estados Unidos desarrolló una herramienta ahora muy popular llamada Análisis del Modo y Efecto de la Falla mejor conocida por sus siglas AMEF. Esta herramienta se desarrolló para eliminar las fallas en la producción de municiones; específicamente su enfoque se centró en determinar las causas de las fallas, su impacto fue importante, que se estandarizó en el documento MIL-P-16291. Incluso la NASA adoptó el AMEF y le da crédito debido al éxito en los alunizajes.

La industria automotriz adopta el AMEF como una de las principales herramientas para lograr la calidad, siendo su enfoque totalmente preventivo y de dicha metodología se derivan dos aplicaciones particulares: AMEF de diseño y AMEF de proceso. La industria automotriz en sus estándares primero la QS 9000 y posteriormente en la ISO/TS 16949 (ahora IATF 16949), establecen como un requisito del sistema de calidad el uso del AMEF.

En la actualidad la aplicación del AMEF no sólo se encuentra en la industria automotriz o militar, sino que incluso se pueden encontrar aplicaciones de seguridad de procesos, servicios e industria metalmecánica en general entre otros sectores que han arropado tan genial aplicación. Más adelante se escribirá sobre su aplicación específica en este campo de la gestión de riesgos.

Otra aplicación por demás interesante y necesaria se encuentra en el sector alimenticio, la misma NASA a finales de la década de los 50[5]:

> … vio que para los viajes espaciales se requerían alimentos especiales … Además, existía la preocupación sobre el tipo de alimentos que un astronauta podía consumir en el espacio, que fuera nutritivo, con buen gusto y seguro. También se consideró que no se introdujeran, ni en la nave, ni en el espacio microorganismos peligrosos.

Derivado de esa necesidad, la NASA trabajó con la compañía Pillsbury para desarrollar los primeros alimentos especiales y garantizar la inocuidad de estos. Entonces, ahí comenzó el desarrollo del sistema de Análisis de Peligros y Puntos Críticos de Control (APPCC), mejor conocido por sus siglas en inglés como HACCP. El enfoque específico de esta gran herramienta es prevenir los peligros alimentarios. No fue tarea fácil ya que se requirió de sumar esfuerzos entre la NASA, la compañía Pillsbury y los Laboratorios del Ejercito de Natick para lograr la metodología HACCP propiamente dicha, mientras que el hombre llegaba a la luna en el año de 1969.

En las normas NC 38-00-03: 1999, la NC 136: 2002 así como en la ISO 22000 se encuentra establecido el Análisis de Peligros y Puntos de Control (HACCP) para garantizar la inocuidad o seguridad alimentaria. La norma ISO 22000 se ha actualizado y en su nueva versión del año 2018, el HACCP sigue siendo parte fundamental del sistema de gestión para la inocuidad alimentaria.

En otro campo, derivado de algunas situaciones que se presentaron en diferentes países tales como fraudes o malversación de fondos, se hizo necesario, a finales de la década de los 1990's

---

Bayesian es un procedimiento estadístico que utiliza datos de la distribución previa para determinar la probabilidad del resultado. El análisis Bayesian depende de la precisión de la distribución previa para deducir un resultado exacto. El modelo causa-y-efecto de las redes Bayesian establece una variedad de dominios mediante la captura de relaciones probabilísticas de entradas de datos variables para obtener un resultado. pp. 28

[5] ASQ (2002). HACCP Manual del auditor de calidad. Food, Drug and Cosmetic División. p. 5

y principios de los 2000's, la elaboración o mejora de lineamientos que permitieran a las organizaciones mejorar sus controles y establecer mecanismos preventivos para evitar que se siguieran cometiendo este tipo de actos. Por eso es que, en el campo financiero y contable, se tiene la Ley Federal Sarbanes-Oxley Act of 2002[6], que es parte de la legislación complementaria promulgada en Estados Unidos que generó una larga lista de requerimientos para las empresas públicas, entre ellos, es que ahora se requiere mantener eficientes sistemas de control interno, solicitando a su administración, asimismo, que los auditores externos independientes atestiguaran la eficiencia de esos sistemas. Como se verá más adelante, uno de los elementos fundamentales en los sistemas de control interno es el análisis de riesgos.

Puntos más importantes que introduce la Ley Sarbanes-Oxley:

- El aumento de la independencia del auditor,
- La responsabilidad personal para los CEOs y CFOs,
- La responsabilidad adicional para los consejos de administración,
- El aumento de sanciones penales y civiles,
- Aumento de divulgación en relación con la compensación de ejecutivos,
- Certificación del trabajo de auditoría interna por parte de auditores externos,
- Sección 103: Auditoría, control de calidad, normas y reglas de independencia,
- Sección 302: Responsabilidad corporativa de informes financieros,
- Artículo 404: Evaluación de la Gestión de los controles internos,
- Sección 906: Requisitos para la certificación de informes periódicos y las Sanciones Penales.

Con relación al riesgo en el sector financiera-contable, el análisis de riesgo se desarrolla como un elemento estratégico que soporta a las organizaciones. En la sección 404 de Sarbanes-Oxley se menciona:

Esta ley establece que:
(a) Normas Requeridas. La Comisión prescribirá las reglas que requieren que cada informe anual requerido por la sección 13 (a) o 15 (d) de la Ley de Bolsa de Valores de 1934 (15 USC 78m o 78o (d)) contenga un informe control interno, que deberá:
   (1) declarar la responsabilidad de la administración para establecer y mantener una estructura de control interno y procedimientos adecuados para la información financiera; y
   (2) contener una evaluación, al final del año fiscal más reciente del emisor, de la efectividad de la estructura de control interno y los procedimientos del emisor para la información financiera.

(b) Evaluación e Informes de Control Interno. Con respeto a la evaluación de control interno requerida por la subsección:
   (a) cada firma de contadores públicos registrada que prepare o emita el informe de auditoría para el emisor deberá dar fe e informar sobre la evaluación realizada por la administración del emisor. Una certificación realizada en virtud de este inciso se realizará de conformidad con las normas para trabajos de certificación emitidos o adoptados por la Junta. Cualquier certificación de este tipo no será objeto de un compromiso por separado.

---

[6] Public Law 107-204 Sarbanes Oxley act of 2002 Sec. 404

Por lo tanto, la administración debe entender:

¿Los controles son explícitos, han sido identificados y documentados?
¿Son consistentes a través del negocio?
¿Dirigen los factores de éxito críticos empresariales?
¿Los controles incluyen la administración de riesgo?
¿Qué procedimientos necesitan ser ejecutados, para asegurarse que los controles son eficazmente trabajados?

En el año 2009, el Organismo Internacional para la Estandarización (ISO) edita dos normas muy importantes para la gestión de riesgos:

1. ISO 31000, principios y lineamientos para la gestión de riesgos, y
2. ISO 31010, técnicas de apreciación del riesgo.

Según Knight AM (2009)[7] la norma ISO 31000 sigue a su predecesora la norma australiana y Nueva Zelandesa AS/NZS 4360. El grupo de trabajo que preparó la ISO 31000 incluía expertos de 28 países de todos los continentes excepto de La Antártica y en su concepción se preparó para ser aplicada sin ninguna restricción a cualquier organización sin importar el tipo, giro o tamaño de ésta, pero con el énfasis en seguir y aplicar los principios y los lineamientos para la estructura y necesidades particulares de las organizaciones.

Incluso existe en la actualidad una tercera norma: ISO/TR (reporte técnico) 31004 que contiene una guía para la implementación de ISO 31000.

La primera versión de la ISO 31000 fue elaborada por el comité técnico (TC por sus siglas en inglés) ISO/TC 262 para la gestión de riesgos, y la norma ISO 31010 se elaboró en conjunto como la Comisión Internacional Electrotécnica (IEC).

Gestionar los riesgos implica un nivel alto de acciones preventivas; representa anticiparse a cualquier falla o elemento que pueda impactar los resultados de la organización y por lo mismo, la gestión de riesgos debe ser una actividad estratégica, lo que implica los líderes dirijan a los colaboradores en una organización para que estén conscientes de los peligros que conlleva el desarrollo de sus actividades, además de la necesidad de evaluarlos, analizarlos y determinar el grado de riesgo que representan para posteriormente tomar las mejores decisiones sobre el tratamiento que le corresponde a cada uno.

No es una tarea fácil, afortunadamente, la norma ISO 31000 es una *herramienta* poderosa que permite definir elementos en una organización para dar tratamiento a los peligros y sus riesgos de una manera sistemática y metodológica. Y en este momento ya se cuenta con una nueva versión de esta norma, la versión 2018, que permite como ya se ha comentado, gestionar todo tipo de riesgos al interior de la organización.

El lector debe conocer que en algunos campos suele mencionarse el término de ERM, que son las siglas de lo que se conoce como Enterprise Risk Management, si se traduce al español significa Administración de riesgos empresariales que en esencia es un sistema que ayuda a una

---

[7] Knight AM (2009) Futura ISO 31000 estándar para la gestión de riesgos. ISO Focus, www.iso.org/isofocus. Tomado del https://www.iso.org/files/live/sites/isoorg/files/archive/pdf/en/future_31000_junefocus2009.pdf

empresa (u organización) a identificar, analizar y evaluar sus riesgos de una manera estructurada y sistemática, a este respecto Champan (2006) comenta que[8]:

Con el ERM se trata de proteger y mejorar el valor de las acciones para satisfacer el objetivo comercial principal de maximizar la riqueza de los accionistas. Debe ser multifacético y abordar todos los aspectos del plan de negocios, desde el plan estratégico hasta los controles del negocio [de ahí el término de empresa]:

- Plan estratégico
- Plan de marketing
- Plan de operaciones
- Investigación y desarrollo
- Gestión y organización
- Pronósticos y datos financieros
- Financiación
- Procesos de gestión de riesgos
- Controles comerciales

También Chapman[9] (2006) refiere la figura (1), del rol del comité para la ERM y en donde aprecian los elementos que integran a la gestión de riesgo y la oportunidad:

Figura 1. Tomada de Simple Tools and Techniques for ERM de Chapman.

---

[8] Chapman, R. (2006). Simple Tools and Techniques for enterprise Risk Management... p.8
[9] Ídem. p. 7

El modelo de control interno COSO, que se explicará en los anexos, tiene un modelo particular de ERM.

El mismo Chapman (2006) indica una serie de beneficios de la aplicación del ERM[10]:

1. Alinear el anhelo del riesgo y estrategia.
2. Minimizar ganancias y pérdidas operacionales.
3. Mejorar decisiones de respuesta ante el riesgo.
4. [Uso y aplicación de] Recursos.
5. Identificar y gestionar riesgos cruzados de la empresa.
6. Conectar crecimiento, riesgo y reposición (equitativamente el riesgo).
7. Racionalizar capital.
8. Dimensionar oportunidades.

Y complementa diciendo que hay 3 beneficios mayores de la gestión del riesgo empresarial: Un desempeño mejorado de la empresa [medido por el cumplimiento de objetivos], una efectividad organizacional mejorada y un mejor reporte de riesgos.

A continuación, se hace un listado de algunos esquemas que están relacionados con la Gestión de Riesgos:

- Basilea (I, II y III - Riesgos Financieros y Operativos)
- IAS39 (International Accounting Standard sobre instrumentos financieros)
- FAS-133(Financial Accounting Standard sobre Derivados)
- Estándar Australiano Neozelandés AS/NZS4360-2004 Risk Management
- Estándar del Reino Unido IRM-AIRMIC-ALARM sobre Administración de Riesgos, entre otros.

Sistemas de Gestión.

En los sistemas de gestión, enfoque principal de este libro, el tratamiento de riesgos se ha incluido en varios estándares tales como:

- ISO 9001, sistema de gestión de la calidad. En la versión actual del año 2015 el requerimiento para dar tratamiento a los riesgos se hace de manera explícita ya que en anteriores versiones se incluía de manera implícita y a través del requerimiento de ejecución de acciones preventivas.
- ISO 14001, sistema de gestión ambiental.
- ISO 45001, sistemas de gestión en seguridad y salud en el trabajo.
  La norma OHSAS 18001 fue sustituida por la norma ISO 45001 por lo que sólo se tratará el tema correspondiente a esta última.
- ISO 20000, sistema de gestión de las tecnologías de Información.

---

[10] Ídem. p. 9.

- ISO 22000, sistema de gestión para la inocuidad alimentaria.
- ISO 27001, sistema de gestión para la seguridad de la información, entre otros.

En subsecuentes capítulos se ampliará la explicación correspondiente sobre qué es lo que se solicita en cada sistema de gestión y cómo se puede abordar dicho requerimiento.

Hasta aquí, se hace mención a la evolución en la gestión de riesgos, sólo que a pesar de eso muchas organizaciones aún no han entendido la importancia que esto conlleva, y no están realizando alguna acción al respecto, en este sentido, Carlos Cerra[11] ante la pregunta de ¿por qué no se gestionan los riesgos en las organizaciones? menciona que generalmente es por los paradigmas siguientes que aún persisten:

- No aporta valor...
- Si pensamos en todo lo malo, no hacemos nada.
- Hay suficientes controles.
- Aquí pensamos en metas, no en riesgos.
- Aceptamos que es común que fallen los sistemas tecnológicos.
- ¡No hay tiempo para evaluar los riesgos, necesitamos vender!
- Acá nunca pasó nada.
- No tenemos los procesos definidos.
- Gestionar los riesgos no me va a ayudar a vender más.
- Si ocurre algo, ya lo arreglaremos.

Y en contra parte, se menciona una serie de beneficios que se pueden obtener de una correcta gestión de riesgos:

1. Principalmente: aumentar la probabilidad de lograr objetivos planificados,
2. Fomentar la administración proactiva,
3. Ser conscientes de la necesidad de identificar y tratar el riesgo en toda la organización,
4. Mejorar la identificación de oportunidades y amenazas,
5. Cumplir con los requisitos legales, reglamentarios pertinentes y las normas internacionales,
6. Mejorar el resultado de los informes obligatorios y voluntarios,
7. Mejorar la confianza y la aceptación de las partes interesadas,
8. Establecer bases confiables para la toma de decisiones y la planificación,
9. Establecer y mejorar controles;
10. Asignar y utilizar eficazmente los recursos para el tratamiento de riesgos,
11. Mejorar la eficacia y la eficiencia de la operación,
12. Mejora la salud y seguridad, de los trabajadores y otras partes interesadas, así como la protección del medio ambiente
13. Mejorar la prevención de pérdidas,
14. Mejorar el conocimiento de la organización; y
15. Mejorar la resistencia del personal de la organización.

---

[11] Cerra. C. (2011). ISO 31000:2009. Herramienta para evaluar la gestión de riesgos. Recuperado de: https://www.isaca.org/chapters8/Montevideo/cigras/Documents/cigras2011-cserra presentacion1%20modo%20de%20compatibilidad.pdf

2. Definiciones

La definición de riesgo ha evolucionado conforme se ha avanzado en su aplicación en diferentes sectores económico-productivos, incluso hay diferentes definiciones que son *válidas* según la aplicación correspondiente.

Riesgo

En esta sección sólo se mencionan los términos más relevantes para el entendimiento de la Gestión de Riesgos en una organización, sin embargo, se alienta al lector a hacer lectura de las definiciones incluidas en la norma ISO 31000 o bien en la Guía ISO/IEC 73:

La primera definición, obligada, es la de Riesgo[12]:

> **Riesgo:** *Efecto de la incertidumbre sobre los objetivos*

Y para entenderla es importante tener en cuenta las siguientes consideraciones:

Primeramente, al incorporar en la definición de riesgo el término de *objetivos* permite que el análisis y evaluación de riesgos se pueda aplicar a:

1. Una organización,
2. Un sistema,
3. Un proceso,
4. Un proyecto,
5. Una función,
6. Entre otros.

La clave es entender qué es lo puede afectar o evitar para que se cumpla ese objetivo, esto representará para fines prácticos la identificación del peligro y entonces estaremos en posibilidad de valorar el nivel de riesgo asociado a ese elemento de análisis.

Ahora, de manera práctica se enuncia una explicación básica de los elementos relacionados con la definición anteriormente citada:

a. El efecto puede implicar una desviación positiva o negativa. Por ejemplo, se puede considerar un efecto positivo cuando se identifican ciertas oportunidades, y en general tendemos a relacionar el riesgo como tal al efecto negativo.
b. Podemos como ya se explicó, tener objetivos en diferentes contextos o alcances y a diferentes niveles,
c. Generalmente se debe relacionar el riesgo a eventos y a consecuencias potenciales, o a una combinación, si se habla de una problemática particular que está sucediendo en la organización, entonces esa se debe tratar por medio de las acciones correctivas, el énfasis del análisis de riesgos debe ser preventivo, esto es, antes de que sucedan los resultados desagradables, o bien anticiparse para ejecutar ciertas oportunidades benéficas para la organización,

---

[12] ISO 31000. (2018). Gestión del Riesgo – Directrices. Suiza: International Organization for Standardization. p.1.

d. También existen algunas definiciones alternativas que consideran al riesgo como una función resultado de la combinación de las consecuencias de un evento y la probabilidad de ocurrencia asociada.

e. Y la ISO 31000 clarifica que la Incertidumbre: es el estado, incluso parcial, de la deficiencia de información relativa al, entendimiento o conocimiento de, un evento, sus consecuencias o probabilidad asociada de que ocurra.

La norma ISO 31010 en su versión de 2019 indica por un lado que su definición abarca varios conceptos subyacentes y por otro lado que se han hecho diferentes esfuerzos para clasificar la incertidumbre, por el momento, se indica la siguiente:

Otra definición de riesgo la da Santillana[13] (2015):

Riesgo es la probabilidad, y su posible impacto de que un evento adverso obstaculice o impida el logro de los objetivos y metas institucionales, o que incida negativamente en el funcionamiento y los resultados de una entidad.

Como se puede leer esta definición está directamente relacionada a las consideraciones necesarias para entender la definición de riesgo que da la ISO 31000.

La definición que da Rubio[14] (2004) sobre riesgo: *"una contingencia o proximidad de un daño"*, se acerca a la definición de peligro que se verá más adelante.

Coleman (2011) propone una definición[15], aunque asociada a las finanzas. representa una definición complementaria en línea con lo que se ha mencionado en este texto:

Riesgo es la posibilidad de que la ganancia y pérdida sean diferentes de lo que se espera o se anticipe; riesgo es la incertidumbre o aleatoriedad medida por la distribución de la pérdidas o ganancias futuras.

Sí, en el análisis de riesgos se plantean escenarios a futuro, situaciones que no necesariamente están ocurriendo. Si se hablara, por ejemplo, de una desviación a las características de un producto terminado, por ejemplo, un refresco de soda, entonces no podemos hacer un análisis de riesgos porque la desviación o falla ya sucedió, en todo caso se tendrá que hacer un análisis de causas para entender qué fue lo que generó la desviación. La herramienta poderosa del análisis y evaluación de riesgo es principalmente PREVENTIVA.

Otra definición complementaria por entender es la de[16] *"gestión de riesgo: actividades coordinadas para dirigir y controlar una organización con relación al riesgo."*

Las siguientes definiciones si bien están establecidas en la versión anterior de la norma ISO 31000 (2009), resulta conveniente mencionarlas para mejorar el entendimiento de la gestión de riesgos[17]:

---

13 Santillana, J. (2015). Sistemas de control interno. México: Pearson Educación. p. 8
14 Rubio, J. (2004). Métodos de evaluación de riesgos laborales. España: Ediciones Díaz de Santos. p. 49.
15 Coleman, T. (2011). A practical guide to risk management. United States of America: The Research Foundation of CFA Institute. p. 15
16 ISO 31000 (2018). Gestión del riesgo. Directrices. p. 1
17 ISO 31000 (2009). Gestión del riesgo. Directrices. pp. 3 – 4.

1. **Identificación de riesgo:** proceso de búsqueda, reconocimiento y descripción de riesgos. Más adelante, se utilizará nuevamente esta definición porque ayudará a entender mejor la concepción y definición de Riesgo.
2. **Evaluación de riesgo:** proceso general que incluye: la identificación del riesgo, el análisis del riesgo y la evaluación del riesgo
3. *Proceso de la Gestión de riesgo:* Aplicación sistemática de políticas en la gestión del riesgo, prácticas y procedimientos para las actividades de comunicación, consulta, establecimiento de contexto, identificación, análisis, evaluación, tratamiento, seguimiento y revisión del riesgo

Las siguientes definiciones pueden ayudar a entender un poco más lo que implica la gestión de riesgos:

a. **Riesgo inherente**, es el que corresponde a la naturaleza del elemento estudiado. No tienen el mismo nivel de riesgo, por ejemplo, una planta nuclear que una planta de manufactura de lápices. Entonces esta definición se debe considerar cuando estamos haciendo el análisis de riesgo y posteriormente podamos realizar una valoración en su justa dimensión.
b. **Riesgo residual**, es el riesgo (o valor) remanente una vez que se le ha dado tratamiento al riesgo. Por lo anterior, no existe un riesgo con valor a cero a menos que eliminemos la actividad sujeta de estudio.
c. **Riesgo aceptable**, es el riesgo que se ha reducido a un nivel que la organización está dispuesta a asumir, en algunos casos ante las obligaciones legales o ante el cliente.

Y otra definición que cada vez toma una mayor relevancia es el de *apetito al riesgo*, que según el COSO ERM[18] es: los tipos y la cantidad de riesgo, en un nivel amplio, que una organización está dispuesta a aceptar en busca del valor. O dicho de otra manera qué tanto riesgo están las organizaciones dispuestas a aceptar para obtener el mayor beneficio.

Tipos de riesgos.

Existen varios tipos de riesgos y su clasificación en ocasiones depende del punto de vista del que analiza el tema, Mejía (2013) presenta dos tablas que ayudan a crear una imagen amplia del tipo de riesgos existentes; la primera tabla es sobre los riesgos del entorno organizacional y la segunda sobre los riesgos generados en la empresa:

Tabla 1. Riesgos del entorno organizacional		
Origen del riesgo	Tipo de riesgo	Explicación
Naturaleza	Prevenientes de la naturaleza	Riesgos generados por el medio ambiente natural, tales como: huracanes, vientos fuertes, lluvias, inundaciones, maremotos, sequias, olas de frio o calor, terremotos, movimientos sísmicos, erupción volcánica, deslizamiento de tierras, plagas, bacterias, virus, epidemias, caída de meteoritos, etc.

---

[18] COSO (2017). Enterprise Risk Management, Integrated with Strategy and Performance... p 110

Continuación de Tabla 1. Riesgos del entorno organizacional		
Origen del riesgo	Tipo de riesgo	Explicación
Naturaleza	Generados a la naturaleza por parte de la empresa	Uso inadecuado de recursos naturales que pueden afectar la naturaleza. Consecuencias: efecto invernadero; disminución de la capa de ozono; contaminación acumulativa del aire, agua, suelos; generación de residuos de alta peligrosidad, desertización y pérdida de biodiversidad.
Riesgos asociados al país, la región y la ciudad de ubicación	Riesgo país	Grado de peligro que representa un país para las inversiones locales o extrajeras, según el nivel de déficit fiscal, la situación política, el crecimiento de la economía y la relación ingresos-deudas.
	Riesgo geopolítico	Debido a dificultades políticas entre naciones se pueden alterar las condiciones comerciales, que pueden implicar pérdidas de negocios, demoras o conflictos con proveedores o clientes.
	Riesgo político	El manejo político del país, y las implicaciones que tiene sobre la economía nacional, afecta las organizaciones según sus condiciones particulares.
	Riesgo social	Tiene que ver con la cultura de la región, las condiciones de seguridad, empleo, salubridad, desarrollo de las comunidades, condiciones de vida, vivienda y bienestar, etc. Riesgos que pueden originarse en la sociedad son: hurto, robo, atraco, sabotaje, chantajes y extorsiones, terrorismo, alteración del orden público, huelgas, migraciones masivas, hambre, enfermedades, epidemias, colapso de servicios públicos indispensables, conflictos de baja intensidad, explotación de grupos sociales, cambios en los hábitos de consumo, demandas colectivas, conflictos comerciales.
	Riesgo económico	Relacionado con el crecimiento económico nacional y local debido a las fluctuaciones de variables macroeconómicas: PIB, inflación, desempleo, balanza de pagos. El decrecimiento de la economía puede generar riesgos que conlleven detrimento patrimonial a las empresas, al disminuir la capacidad de compra de sus clientes y la demanda de sus productos.
Sector económico e industrial	Riesgo sistemático	Riesgo que se origina por el hecho de competir en un sector determinado, ejemplo: campañas de desprestigio de la competencia comercial, espionaje industrial, tráfico de información reservada, competencia desleal, transacciones ilegales, corrupción institucional y privada, operaciones ilícitas, daños por productos, accidentes y enfermedades profesionales; accidentes industriales graves, actividades públicas molestas o peligrosas, reclamación judicial por productos de consumo contaminados, contaminación ambiental, responsabilidad por contratos de ejecución.

Tomada de Identificación de Riesgos de Rubí Consuelo Mejía. Pp. 37-40 [19]

[19] Mejía, C. (2013). Identificación de Riesgos. Medellín, Fondo Editorial Universidad EAFIT...pp. 37-40

Tabla 2. Riesgos generados en la empresa	
Tipo de riesgo	**Explicación**
No sistemáticos	Riesgos propios y específicos de cada empresa que pueden afectar procesos, recursos, clientes o imagen
Riesgo de reputación	Desprestigio de la organización, que acarrea pérdida de credibilidad y confianza del público, por fraude, insolvencia, conducta irregular de empleados, rumores o errores cometidos en la ejecución de alguna operación
Riesgo puro	Al materializarse origina pérdidas, como incendio, accidente, inundación
Riesgo especulativo	Al materializarse presenta la posibilidad de generar indistintamente beneficio o pérdida, como una aventura comercial, inversión en divisas entre expectativas de devaluación revaluación, compra de acciones, lanzamiento de nuevos productos
Riesgo estratégico	Tiene que ver con pérdidas ocasionadas por definiciones estratégicas inadecuadas o errores en el diseño de los planes, programas, estructura, integración del modelo de operación con el direccionamiento estratégico, asignación de recursos, estilo de dirección; además de ineficiencia en la adaptación a los cambios constantes del entorno empresarial
Riesgo operativo	Consiste en la posibilidad de pérdidas ocasionadas en la ejecución de procesos y funciones de la empresa, por fallas en procesos, sistemas, procedimientos, modelos o personas
Riesgo financiero	Los riesgos financieros impactan en la rentabilidad, ingresos y nivel de inversión, pueden provenir no solo por decisiones de la empresa, sino por condiciones del mercado, ellos son: *Riesgo de mercado,* tiene que ver con fluctuaciones de las inversiones en la bolsa de valores; también hacen parte de este las fluctuaciones de precios de insumo y productos, la tasa de cambio y las tasas de interés. *Riesgo de liquidez,* se relaciona con la imposibilidad de transformar en efectivo un activo o portafolio o tener que pagar tasas de descuento inusuales y diferentes a las del mercado para cumplir con obligaciones contractuales. *Riesgo de crédito,* consiste en que los clientes y las partes a las cuales se les ha prestado dinero, o con las cuales se ha invertido, fallen en el pago.
Riesgos legales	Se refieren a pérdidas en caso de incumplimiento de la contraparte en un negocio, sumado a la imposibilidad de exigir jurídicamente la satisfacción de los compromisos adquiridos. También se puede presentar al cometer algún error de interpretación jurídica u omisión en la documentación, o en el incumplimiento de normas legales o disposiciones reglamentarias que puedan conducir a demandas o sanciones.

Continuación de Tabla 2. Riesgos generados en la empresa	
Tipo de riesgo	**Explicación**
Riesgo tecnológico	Son generados por el uso de la tecnología, como virus informáticos, vandalismo puro o de ocio en las redes informáticas, fraudes, intrusiones de *hackers*, colapso de las telecomunicaciones que pueden generar daño de información o interrupción del servicio. También incluyen la actualización y dependencia de un proveedor, o de tecnología específica, bien sea en el campo informático, médico, de transporte u otras áreas.
Riesgo laboral	Los riesgos laborales, como accidentes de trabajo y enfermedades profesionales, pueden ocasionar daños a las personas y a la misma organización. Un accidente de trabajo puede producir lesiones orgánicas, invalidez, muerte o una perturbación funcional. La enfermedad profesional, por su parte, puede ser permanente o temporal, consecuencia del trabajo desempeñado o del medio en el cual se realizan las funciones. Existen otros riesgos laborales que surgen de la relación de la empresa con sus empleados, asociaciones y sindicatos, como huelgas, sabotajes, etc.
Riesgo físico	Afectan a los recursos materiales, como cortocircuitos, explosiones, daños en maquinaria o equipos (por su operación, diseño, fabricación, montaje o mantenimiento), deterioro de productos y daño en vehículos.

Tabla tomada de Identificación de Riesgos de Mejía (2013)

Se podría añadir a la lista el *Riesgo de seguridad de la información* que es aquel que afectan la confidencialidad, integridad y disponibilidad de la información de una organización.

El Manual Administrativo Aplicación General en Materia de Control Interno del gobierno federal en México, clasifica los riesgos de la siguiente manera[20]:

> Clasificación de los riesgos. Se realizará en congruencia con la descripción del riesgo que se determine, de acuerdo con la naturaleza de la Institución, clasificándolos en los siguientes tipos de riesgo: sustantivo, administrativo; legal; financiero; presupuestal; de servicios; de seguridad; de obra pública; de recursos humanos; de imagen; de TIC´s; de salud; de corrupción y otros.

Peligro

Otro término que es estrictamente necesario definir, es el de *peligro;* aquí se analizará el mismo y se verá qué relación tiene con el término *riesgo*.

También es importante hacer otras consideraciones ya que, como se ha mencionado, el tema de *riesgo* no es nuevo y otras disciplinas también han utilizado el término para sus propósitos

---

[20] ACUERDO por el que se emiten las Disposiciones y el Manual Administrativo de Aplicación General en Materia de Control Interno…p. 32.

21

específicos, por eso en este momento es esencial considerar las siguientes definiciones de la norma ISO 45001[21]:

Peligro: fuente con un potencial para causar lesiones y deterioro de la salud.

Si a la anterior definición se le extraen los términos *lesiones* y *a la salud,* y se agregan algunos otros, quedaría como:

Peligro: fuente, acto o situación con potencial de causar deterioro o daño a un proyecto, proceso, sistema u organización.

Entonces, con esta definición modificada, el término de peligro se puede aplicar a cualquier ámbito o campo de aplicación; la clave será identificar el elemento de estudio o análisis, luego identificar el objetivo asociado y se podrán definir los peligros correspondientes.

En la norma ISO 45001 aparece una nota que es relevante comentar en el sentido de que los peligros pueden incluir fuentes con el potencial de causar daño, situaciones peligrosas y circunstancias con el potencial de exposición que conduzca a daños o deterioro de la salud.

También la norma ISO 45001 clarifica lo que es el *riesgo para la seguridad y salud en el trabajo*:

Riesgo para la STT: Combinación de probabilidad de que ocurra un evento o exposición peligrosa relacionada con el trabajo y la severidad la lesión y deterioro de la salud que pueda causar el evento o exposición.

La anterior definición es similar a la mencionada anteriormente de Santillana sobre riesgo.

Ahora bien, en los sistemas de gestión, principalmente a partir de las versiones 2015, se maneja el término *riesgos y oportunidades*, en la norma ISO 9001 a lo largo de sus requisitos se podrá encontrar ese *término*, esto es dos términos como uno sólo, aunque hay algunas excepciones:

1. En la norma ISO 14001 (2015) se establece la definición de riesgos y oportunidades como: a los *efectos potenciales adversos (amenazas) y efectos potenciales beneficiosos (oportunidades), y*

2. En la norma ISO 45001 (2018), en donde si se establece la definición de oportunidad para la seguridad y salud en el trabajo[22]: "*oportunidad para la SST se define como una circunstancia o conjunto de circunstancias que pueden conducir a la mejora del desempeño de la STT*", por lo que, también se puede extrapolar a cualquier sistema de gestión como una circunstancia o conjunto de circunstancias que pueden conducir a la mejora del desempeño de la calidad, seguridad de la información, gestión ambiental, etc.

---

[21] ISO 45001 (2018) Sistema de gestión en seguridad y salud en el Trabajo… p. 5
[22] Ídem p. 6

Ahora, es conveniente mencionar la definición *Identificación de peligro*[23] como el *proceso de reconocimiento de un **peligro** existente y la definición de sus características.*

En las notas aclaratorias sobre esta definición, en la norma ISO 31000 se menciona lo siguiente:

La identificación del riesgo involucra:

a. la identificación de las fuentes de riesgo,
b. eventos, sus causas y
c. sus consecuencias potenciales.

Es así como se puede observar que la identificación de riesgos (de ISO 31000) está estrechamente relacionada con la norma OHSAS 18002[24], ya que en ésta última se establece que para la identificación de peligros tenemos que considerar:

a. Fuente,
b. Actos, y
c. Situaciones

Además, otras normas como la ISO 22000 y la ISO IEC Guía 51, clarifican el uso del término peligro. ISO 22000[25] define Peligro para la seguridad alimentaria como *agentes químicos, físicos y biológicos con potencial para causar un efecto nocivo en la salud,* y en las notas se indica que:

el término peligro no debe confundirse con el riesgo, el cual, en el contexto de la seguridad alimentaria, significa una función de probabilidad de un efecto adverso para la salud y la severidad del efecto cuando se expone a un peligro específico.

Entonces, la sugerencia en este escrito y lo que en realidad las organizaciones deben considerar en la *gestión de riesgos organizacionales* o bien en su aplicación a algún sistema de gestión, desde el punto de vista del que escribe, es:

a) Identificar los peligros,
b) Analizar los peligros, y
c) Determinar el nivel de riesgo asociado a esos peligros.

Por lo mismo, el *riesgo* debe estar expresado en un valor ((por ejemplo: 1.25, 40, 120, etc.) o estado (mínimo, medio, grave). Esto nos lleva directamente a la aplicación de las metodologías para estimar o apreciar el riesgo, en donde para obtener el riesgo (en términos generales) se debe considerar la combinación de dos o más elementos, uno de ellos es la probabilidad de ocurrencia y la otra el daño o severidad que puede causar ese peligro identificado.

En la siguiente ilustración, se puede observar los componentes que están presentes en la identificación de peligros y evaluación de riesgos:

---

[23] OHSAS 18002. (2008). Sistema de Gestión en Seguridad y Salud Ocupacional – Directrices para la implementación de OHSAS 18001: 2007. AENOR: España. p.5.
[24] González (2015). Gestión de Riesgos, Como afrontarlos en las organizaciones. Presentado en el Foro Mundial de Calidad organizado por INLAC. Cancún, mayo 2015.
[25] ISO 22000 (2018). Sistema de gestión para la inocuidad alimentaria…p.5

Proceso	Condición operativa	Actividad	Peligro (Situación, Fuente, Acto)	Causa	Consecuencia	Controles Actuales (Salvaguardas)	Severidad		Probabilidad/Ocurrencia		Riesgo
							Grado	Valor	Grado	Valor	Valor Estimado
							Menor	I	Remota	A	Mínimo

Figura 2. Creada por el autor a partir de la definición de peligro e identificación del riesgo

a. El proceso en donde se analizan los peligros y riesgos,
b. La condición operativa (o administrativa) que básicamente consiste en definir si la frecuencia con que se realiza la actividad a ser evaluada: rutinaria, ocasionalmente o extraordinaria
c. La actividad específica que va a ser evaluada,
d. El peligro o los peligros asociados a esa actividad,
e. La causa o las causas que pueden generar el peligro,
f. La o las consecuencias potenciales de esos peligros,
g. Los controles actuales que se tiene para controlar esos peligros,
h. Y finalmente la evaluación del riesgo en términos de Severidad y Probabilidad/Ocurrencia, y que deriva en el nivel o valor estimado de: Riesgo.

La figura anterior representa la aplicación de la metodología llamada matriz de riesgos aplicada en una hoja de Excel para hacer su cálculo o estimación de manera más sistemática y práctica. Más adelante se combinará con el concepto del AMEF.

Como complemento, se menciona que en el Manual Administrativo de Aplicación General en Materia de Control Interno se mencionan los factores de riesgos[26]: *Factor (es) de riesgo: la circunstancia, causa o situación interna y/o externa que aumenta la probabilidad de que un riesgo se materialice.* Como se aprecia, esta definición está relacionada de alguna manera a la definición de peligro y los elementos para describir el riesgo. Se debe tener precaución de no confundir el término riesgo con factor de riesgo. Hay que destacar que el manual considera lo siguientes factores de riesgo[27]:

- Humano: Se relacionan con las personas (internas o externas), que participan directa o indirectamente en los programas, proyectos, procesos, actividades o tareas.
- Financiero Presupuestal: Se refieren a los recursos financieros y presupuestales necesarios para el logro de metas y objetivos.
- Técnico-Administrativo: Se vinculan con la estructura orgánica funcional, políticas, sistemas no informáticos, procedimientos, comunicación e información, que intervienen en la consecución de las metas y objetivos.
- TIC´s: Se relacionan con los sistemas de información y comunicación automatizados;
- Material: Se refieren a la Infraestructura y recursos materiales necesarios para el logro de las metas y objetivos.
- Normativo: Se vinculan con las leyes, reglamentos, normas y disposiciones que rigen la actuación de la organización en la consecución de las metas y objetivos.
- Entorno: Se refieren a las condiciones externas a la organización, que pueden incidir en el logro de las metas y objetivos.

[26] ACUERDO por el que se emiten las Disposiciones y el Manual Administrativo de Aplicación General en Materia de Control Interno. p. 4
[27] Ídem. p.32

24

Tipo de factor de riesgo: Se identificará el tipo de factor conforme a lo siguiente:

- Interno: Se encuentra relacionado con las causas o situaciones originadas en el ámbito de actuación de la organización;
- Externo: Se refiere a las causas o situaciones fuera del ámbito de competencia de la organización.

3. La norma ISO 31000: 2018

En este capítulo se analizan los elementos de más importantes de la norma ISO 31000.

Esta norma no contiene requisitos, contiene directrices, lineamientos, por lo que no es una norma para certificar; sirve para orientarnos sobre las acciones que deberíamos llevar a cabo para gestionar los riesgos al interior de la organización.

Esta norma tampoco hace distinción en ciertos tipos de riesgos a tratar, por lo que el alcance lo debería definir cada organización.

Estructura

La norma ISO 31000 tiene la estructura siguiente[28]:

1 Objeto y campo de aplicación
2 Referencias normativas
3 Términos y definiciones
4 Principios

5 Marco de referencia
5.1 Generalidades
5.2 Liderazgo y compromisos
5.3 Integración
5.4 Diseño
5.5 Implementación
5.6 Valoración
5.7 Mejora

6 Proceso
6.1 Generalidades
6.2 Comunicación y consulta
6.3 Establecer el contexto
6.4 Evaluación de riesgo
6.5 Tratamiento de riesgo
6.6 Seguimiento y revisión
6.7 Registro del proceso de gestión de riesgos

Objetivo y campo de aplicación

La norma ISO 31000 puede ser aplicada en cualquier organización y es la intención que ella sea utilizada en todos los procesos de la organización, no sólo sea una herramienta para una actividad o un proceso, sino que sea una herramienta de gestión institucional.

---

[28] ISO 31000: 2018 Gestión del Riesgo. Principios y Directrices. p. iii.

El esquema genérico que presenta la norma ISO 31000 para gestionar los riesgos se ilustra en la siguiente figura:

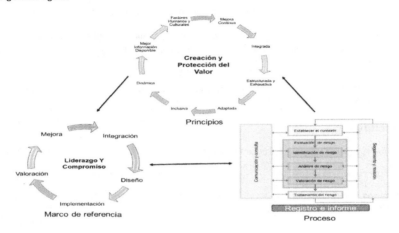

Figura 3. Creada a partir de ISO 31000: 2018

En dicha figura se observan tres esquemas importantes que definen la gestión de riesgos: los principios, el marco de referencia y el proceso general para el análisis y evaluación de riesgos.

Si en la organización ya existen procesos y prácticas de gestión que incluyen componentes de la gestión de riesgos o si la organización ha adoptado ya un proceso de gestión para sus particulares tipos y situaciones de riesgo, entonces estos deben ser revisados y evaluados críticamente, contrastándolos contra este estándar internacional, incluyendo los atributos incluidos en el Anexo A de la norma ISO 31000, a fin de determinar su adecuación y eficacia en su organización.

Principios

Se debe entender el término *principio* como una regla de conducta, con una base que permite identificar un comportamiento a seguir. Entonces se espera que las organizaciones interesadas en gestionar los riesgos al interior de su organización modifiquen sus prácticas y las alineen a estos principios.

La norma ISO 31000 define los siguientes principios e indica que la gestión de riesgos debería ser[29]:

---

[29] ISO 31000: 2018 Gestión del Riesgo. Principios y Directrices. p. 3.

Figura 4. Principios para la gestión de riesgos, tomada de ISO 31000 página

a) Integrada. La gestión del riesgo es parte integral de todas las actividades de la organización.

b) Estructurada y exhaustiva. Un enfoque estructurado y exhaustivo hacia la gestión del riesgo contribuye a resultados coherentes y comparables.

c) Adaptada. El marco de referencia y el proceso de la gestión del riesgo se adaptan y son proporcionales a los contextos externo e interno de la organización relacionados con sus objetivos.

d) Inclusiva. La participación apropiada y oportuna de las partes interesadas permite que se consideren su conocimiento, puntos de vista y percepciones. Esto resulta en una mayor toma de conciencia y una gestión del riesgo informada.

e) Dinámica. Los riesgos pueden aparecer, cambiar o desaparecer con los cambios de los contextos externo e interno de la organización. La gestión del riesgo anticipa, detecta, reconoce y responde a esos cambios y eventos de una manera apropiada y oportuna.

f) Mejor información disponible. Las entradas a la gestión del riesgo se basan en información histórica y actualizada, así como en expectativas futuras. La gestión del riesgo tiene en cuenta explícitamente cualquier limitación e incertidumbre asociada con tal información y expectativas. La información debería ser oportuna, clara y disponible para las partes interesadas pertinentes.

g) Factores humanos y culturales. El comportamiento humano y la cultura influyen considerablemente en todos los aspectos de la gestión del riesgo en todos los niveles y etapas.

h) Mejora continua. La gestión del riesgo mejora continuamente mediante aprendizaje y experiencia.

Algunas conclusiones sobre la gestión de riesgos que podemos tener al revisar los principios son las siguientes:

1. Se pretende que se apliquen de manera sistemática a toda la organización,
2. Se deberían adecuar a las características particulares de la organización,
3. Implica el trabajo en equipo,
4. La mejora continua está inmersa en la gestión de riesgos, y
5. La gestión de riesgos es metodológica y sistemática.

4. Marco de referencia: gestión de riesgos (capítulo 5 – ISO 31000)

El *Marco de referencia* se entiende como el conjunto de componentes que proveen los fundamentos y arreglos organizacionales para el diseño, implementación, seguimiento, revisión y mejora continua de la gestión de riego en toda la organización. A continuación, se ilustra la figura con los elementos que conforman el marco de referencia para la gestión de riesgos.

Figura 5. Creada a partir de la norma ISO 31000:2018 - Gestión de Riesgos

A continuación, se explican algunos detalles de los elementos del marco de referencia.

Liderazgo y compromiso (Capítulo 5.2 – ISO 31000)

La participación de parte de los líderes de la organización con un tono activo es indispensable para el éxito de la gestión de riesgos al interior de la organización, la norma ISO 31000 consciente de ello ha definido una serie de lineamientos a ser aplicados por ellos.

La alta dirección y los órganos de supervisión, cuando sea aplicable, deberían asegurar que la gestión del riesgo esté integrada en todas las actividades de la organización y deberían demostrar el liderazgo y compromiso:

— adaptando e implementando todos los componentes del marco de referencia;
— publicando una declaración o una política que establezca un enfoque, un plan o una línea de acción para la gestión del riesgo;
— asegurando que los recursos necesarios se asignan para gestionar los riesgos;
— asignando autoridad, responsabilidad y obligación de rendir cuentas en los niveles apropiados dentro de la organización;

La norma con su lineamiento permite visualizar los beneficios de una correcta participación de los líderes:

Esto ayudará a la organización a:

— alinear la gestión del riesgo con sus objetivos, estrategia y cultura;
— reconocer y abordar todas las obligaciones, así como sus compromisos voluntarios;
— establecer la magnitud y el tipo de riesgo que puede o no ser tomado para guiar el desarrollo de los criterios del riesgo, asegurando que se comunican a la organización y a sus partes interesadas.
— comunicar el valor de la gestión del riesgo a la organización y sus partes interesadas;
— promover el seguimiento sistemático de los riesgos;
— asegurarse de que el marco de referencia de la gestión del riesgo permanezca apropiado al contexto de la organización.

Como en muchos sistemas de gestión, la alta dirección es quien debe de asumir la principal responsabilidad al implantar algún elemento de mejora en la organización y puede apoyarse de un grupo o de los diferentes líderes de la organización para garantizar el éxito de la gestión de riesgos:

La alta dirección rinde cuentas por gestionar el riesgo mientras que los órganos de supervisión rinden cuentas por la supervisión de la gestión del riesgo. Frecuentemente se espera o se requiere que los órganos de supervisión:

— se aseguren de que los riesgos se consideran apropiadamente cuando se establezcan los objetivos de la organización;
— comprendan los riesgos a los que hace frente la organización en la búsqueda de sus objetivos;
— se aseguren de que los sistemas para gestionar estos riesgos se implementen y operen eficazmente;
— se aseguren de que estos riesgos sean apropiados al contexto de los objetivos de la organización;
— se aseguren de que la información sobre estos riesgos y su gestión se comuniquen de la manera apropiada.

Integración (Capítulo 5.3 – ISO 31000)

La gestión de riesgos no debe ser una herramienta que *se pone cuando se requiere* o *se quita cuando no hace falta*; se espera que se integre a las diferentes actividades para que pueda rendir un mayor beneficio y que el enfoque basado en riesgos sea parte de las actividades diarias del personal al interior de la organización.

La integración de la gestión del riesgo depende de la comprensión de las estructuras y el contexto de la organización... El riesgo se gestiona en cada parte de la estructura de la organización. Todos los miembros de una organización tienen la responsabilidad de gestionar el riesgo.

La gobernanza[30] guía el curso de la organización, sus relaciones externas e internas y las reglas, los procesos y las prácticas necesarios para alcanzar su propósito. Las estructuras de gestión convierten la orientación de la gobernanza en la estrategia y los objetivos asociados requeridos para lograr los niveles deseados de desempeño sostenible y de viabilidad en el largo plazo. La determinación de los roles para la rendición de cuentas y la supervisión de la gestión del riesgo dentro de la organización son partes integrales de la gobernanza de la organización.

La alta dirección y los líderes de la implantación de la gestión de riesgos deberían aplicar estrategias que permitan que el enfoque basado en riesgos vaya permeando al personal de manera que poco a poco se logre la integración esperada y esté inmersa en las actividades *normales* de la organización.

La integración de la gestión del riesgo en la organización es un proceso dinámico e iterativo, y se debería adaptar a las necesidades y a la cultura de la organización. La gestión del riesgo debería ser una parte de, y no estar separada del propósito, la gobernanza, el liderazgo y compromiso, la estrategia, los objetivos y las operaciones de la organización.

Diseño (Capítulo 5.4 – ISO 31000)

La norma ISO 31000 define con claridad los elementos que se deben tomar en cuenta para el diseño del marco de referencia, entre ellos el contexto interno y externo de la organización, así como los aquellos que deben ser definido para una gestión de riesgos adecuada a las necesidades de la organización.

Comprensión de la organización y de su contexto

La organización debería analizar y comprender sus contextos externo e interno cuando diseñe el marco de referencia para gestionar el riesgo.

El análisis del contexto externo de la organización puede incluir, pero no limitarse a:
— los factores sociales, culturales, políticos, legales, reglamentarios, financieros, tecnológicos, económicos y ambientales ya sea a nivel internacional, nacional, regional o local;
— los impulsores clave y las tendencias que afectan a los objetivos de la organización;
— las relaciones, percepciones, valores, necesidades y expectativas de las partes interesadas externas;
— las relaciones contractuales y los compromisos;
— la complejidad de las redes y dependencias.

El análisis del contexto interno de la organización puede incluir, pero no limitarse a:
— la visión, la misión y los valores;

---

[30] Entiéndase gobernanza como un conjunto de acciones a nivel alta dirección para lograr la eficacia y calidad en la organización.

— la gobernanza, la estructura de la organización, los roles y la rendición de cuentas;
— la estrategia, los objetivos y las políticas;
— la cultura de la organización;
— las normas, las directrices y los modelos adoptados por la organización;
— las capacidades, entendidas en términos de recursos y conocimiento (por ejemplo, capital, tiempo, personas, propiedad intelectual, procesos, sistemas y tecnologías);
— los datos, los sistemas de información y los flujos de información;
— las relaciones con partes interesadas internas, teniendo en cuenta sus percepciones y valores;
— las relaciones contractuales y los compromisos.

Con el resultado del análisis del contexto interno y externo, se estará en posibilidad de definir los elementos siguientes:

5.4.2 Articulación del compromiso con la gestión del riesgo
La alta dirección y los organismos de supervisión, cuando sea aplicable, deberían articular y demostrar su compromiso continuo con la gestión del riesgo mediante una política, una declaración u otras formas que expresen claramente los objetivos y el compromiso de la organización con la gestión del riesgo. El compromiso debería incluir, pero no limitarse a:

— el propósito de la organización para gestionar el riesgo y los vínculos con sus objetivos y otras políticas;
— el refuerzo de la necesidad de integrar la gestión del riesgo en toda la cultura de la organización;
— el liderazgo en la integración de la gestión del riesgo en las actividades principales del negocio y la toma de decisiones;
— las autoridades, las responsabilidades y la obligación de rendir cuentas;
— la disponibilidad de los recursos necesarios;

Más adelante, en el capítulo 6, se mencionará de qué manera se pueden aplicar parte de estos elementos mencionados, adaptándolos a la medida de las necesidades particulares de los sistemas de gestión.

Por otro lado, es necesario que se asignen las responsabilidades y autoridades en la gestión de riesgos al interior de la organización ya que de no hacerlo se corre el peligro de que personal que no esté totalmente comprometido al no desarrolle las acciones requeridas para que su aplicación sea integral y que además ello pueda afectar el logro de los objetivos generales de la gestión. La norma ISO 31000 define lo propio:

5.4.3 Asignación de roles, autoridades, responsabilidades y obligación de rendir cuentas en la organización.

La alta dirección y los órganos de supervisión, cuando sea aplicable, deberían asegurarse de que las autoridades, las responsabilidades y la obligación de rendir cuentas de los roles relevantes con respecto a la gestión del riesgo se asignen y comuniquen a todos los niveles de la organización y deberían:

— enfatizar que la gestión del riesgo es una responsabilidad principal;

— identificar a las personas que tienen asignada la obligación de rendir cuentas y la autoridad para gestionar el riesgo (dueños del riesgo).

De acuerdo con la experiencia, el dueño del riesgo generalmente debería ser el responsable de cada proceso de la organización. El problema es que muchas organizaciones aún no tienen definidos sus procesos de manera formal, sistemática y documentada, entonces antes de definir responsabilidades, autoridades u obligaciones sobre los riesgos, se deberían definir los procesos.

Por otro lado, la gestión de riesgos implica el uso de múltiples tipos de recursos, al inicio del proceso el recurso principal pudiera ser: 1. El tiempo mismo del personal que participa en el proceso tanto del diseño del marco de referencia como el tiempo para la identificación y análisis de peligros y para la evaluación del riesgo, 2 El recurso económico para proporcionar la capacitación. Posteriormente se requerirán más recursos dependiendo del alcance en la aplicación ya que se puede incluir, softwares para el análisis de riesgos, sistemas de comunicación, bases de datos, etc. La norma ISO 31000 define los siguientes lineamientos al respecto:

5.4.4 Asignación de recursos
La alta dirección y los órganos de supervisión, cuando sea aplicable, deberían asegurar la asignación de los recursos apropiados para la gestión del riesgo, que puede incluir, pero no limitarse a:
— las personas, las habilidades, la experiencia y las competencias;
— los procesos, los métodos y las herramientas de la organización a utilizar para gestionar el riesgo;
— … y procedimientos documentados;
— los sistemas de gestión de la información y del conocimiento;
— el desarrollo profesional y las necesidades de formación.

La organización *debería considerar las competencias y limitaciones de los recursos existentes.*

La gestión de riesgos requiere de un nivel de comunicación alto, estructurado, dinámico y que permita a los involucrados contar con la información necesaria para la toma de decisiones en todas las etapas del proceso. La norma ISO 31000 no da lineamientos sobre los mecanismos o tipos de herramientas para la comunicación de riesgos por lo que, el grupo líder de la gestión de riesgos deberá hacer un análisis de las necesidades particulares además de considerar un presupuesto para cubrirlas.

5.4.5 Establecimiento de la comunicación y la consulta
La organización debería establecer un enfoque aprobado con relación a la comunicación y la consulta, para apoyar el marco de referencia y facilitar la aplicación eficaz de la gestión del riesgo.

La comunicación implica compartir información con el público objetivo. La consulta además implica que los participantes proporcionen retroalimentación con la expectativa de que ésta contribuya y de forma a las decisiones u otras actividades...

La comunicación y la consulta deberían ser oportunas y asegurar que se recopile, consolide, sintetice y comparta la información pertinente, cuando sea apropiado, y que se proporcione retroalimentación y se lleven a cabo mejoras.

Implementación (Capítulo 5.5 – ISO 31000)

Una vez que se tiene definido el marco de referencia, lo que sigue es ponerlo en marcha y que se viva a lo largo de la organización para garantizar el éxito de la gestión:

La organización debería implementar el marco de referencia de la gestión del riesgo mediante:
— el desarrollo de un plan apropiado incluyendo plazos y recursos;
— la identificación de dónde, cuándo, cómo y quién toma diferentes tipos de decisiones en toda la organización;
— la modificación de los procesos aplicables para la toma de decisiones, cuando sea necesario;
— el aseguramiento de que las disposiciones de la organización para gestionar el riesgo son claramente comprendidas y puestas en práctica.

La implementación con éxito del marco de referencia requiere el compromiso y la toma de conciencia de las partes interesadas. Esto permite a las organizaciones abordar explícitamente la incertidumbre en la toma de decisiones, al tiempo que asegura que cualquier incertidumbre nueva o subsiguiente se pueda tener en cuenta cuando surja.

Como es de esperarse, la norma ISO 31000 hace mención a la criticidad que representa un diseño adecuado y correcto para garantizar una gestión que si impulse a la organización a mejorar sus resultados y cumplir sus objetivos.

Si se diseña e implementa correctamente, el marco de referencia de la gestión del riesgo asegurará que el proceso de la gestión del riesgo sea parte de todas actividades en toda la organización, incluyendo la toma de decisiones, y que los cambios en los contextos externo e interno se captarán de manera adecuada.

Valoración (Capítulo 5.6 – ISO 31000)

Considere que actualmente se vive una época muy acelerada por lo que es conveniente evaluar la adecuación del marco referencia antes esos escenarios cambiantes. La norma ISO 31000 proporciona los siguientes lineamientos al respecto:

Para valorar la eficacia del marco de referencia de la gestión del riesgo, la organización debería:

— medir periódicamente el desempeño del marco de referencia de la gestión del riesgo con relación a su propósito, sus planes para la implementación, sus indicadores y el comportamiento esperado;

— determinar si permanece idóneo para apoyar el logro de los objetivos de la organización.

Mejora (Capítulo 5.7 – ISO 31000)

La mejora continua es necesaria en cualquier ámbito de la organización y la gestión de riesgos no es la excepción, entonces, se debe tener la apertura para hacer las adecuaciones necesarias. Por ejemplo, si puede iniciar la gestión de riesgos con un alcance limitado o piloto y conforme se va aprendiendo se puede ampliar el alcance y mejorar tanto las herramientas para la apreciación del riesgo, la infraestructura para la comunicación o los recursos. La norma ISO 31000 considera los siguientes lineamientos al respecto:

5.7.1 Adaptación
La organización debería realizar el seguimiento continuo y adaptar el marco de referencia de la gestión del riesgo en función de los cambios externos e internos. Al hacer esto, la organización puede mejorar su valor.

5.7.2 Mejora continua
La organización debería mejorar continuamente la idoneidad, adecuación y eficacia del marco de referencia de la gestión del riesgo y la manera en la que se integra el proceso de la gestión del riesgo.

Cuando se identifiquen brechas u oportunidades de mejora pertinentes, la organización debería desarrollar planes y tareas y asignarlas a quienes tuviesen que rendir cuentas de su implementación.

Una vez implementadas, estas mejoras deberían contribuir al fortalecimiento de la gestión del riesgo.

5. Proceso para la determinación de riesgos (capítulo 6 – ISO 31000)

Tradicionalmente las etapas más significativas del proceso de gestión de riesgos son tres, tal como se mencionó en la sección de definiciones de peligro:

1. Identificación de peligros
2. Análisis de peligros y
3. Evaluación del riesgo.

Sólo que ahora, la norma ISO 31000 define un proceso general para la gestión del riesgo más amplio; este proceso se soporta por el marco de referencia anteriormente explicado y en esta etapa de determinar los riesgos se deben considerar los siguientes elementos:

a. Comunicación y consulta,
b. Alcance, contexto y criterios
c. Evaluación del riesgo,
d. Tratamiento del riesgo,
e. Seguimiento y revisión, y
f. Registro e informe del riesgo.

El proceso que recomienda la norma ISO 3100 se ilustra en la figura siguiente:

Figura 6. Proceso de Gestión de Riesgos. tomada de la norma ISO 31000:2018

Ya se ha comentado que se espera que la aplicación de la gestión de riesgos y en este caso del proceso ilustrado, no se limite a alguna actividad en particular ya que no tendría mucho beneficio, por el contrario, el proceso para la gestión de riesgos debería alinearse a la dirección estratégica de la organización y apoyar a la toma de decisiones, debería incorporarse a todos los procesos y en todas las funciones de la organización de manera sistemática para que el resultado sea de mayor impacto.

Ahora bien, como cada proceso de la organización tiene necesidades diferentes, en determinado momento se pueden hacer las adecuaciones requeridas por su particularidad y considerando el contexto de la organización y la cultura organizacional correspondiente.

Comunicación y Consulta (Capítulo 6.2 – ISO 31000)

Como se aprecia en la figura 6, la comunicación no es exclusiva de una sola etapa del proceso general, sino que ésta tiene que estar presente en cada etapa o subetapa del proceso para la gestión de los riesgos de manera que se convierta en un elemento facilitador para la toma de decisiones, principalmente; estar comunicado y estar bien comunicado es esencial. También se debe informar al personal sobre los riesgos a los que está expuesto en sus labores y de acuerdo con sus funciones, además, la retroalimentación debe ser continua. La norma ISO 31000 define los siguientes lineamientos para garantizar un buen nivel de comunicación:

> El propósito de la comunicación y consulta es asistir a las partes interesadas pertinentes a comprender el riesgo, las bases con las que se toman decisiones y las razones por las que son necesarias acciones específicas. La comunicación busca promover la toma de conciencia y la comprensión del riesgo, mientras que la consulta implica obtener retroalimentación e información para apoyar la toma de decisiones. Una coordinación cercana entre ambas debería facilitar un intercambio de información basado en hechos, oportuno, pertinente, exacto y comprensible, teniendo en cuenta la confidencialidad e integridad de la información, así como el derecho a la privacidad de las personas.
>
> La comunicación y consulta con las partes interesadas apropiadas, externas e internas, se debería realizar en todas y cada una de las etapas del proceso de la gestión del riesgo.
>
> La comunicación y consulta pretende:
> — reunir diferentes áreas de experiencia para cada etapa del proceso de la gestión del riesgo;
> — asegurar que se consideren de manera apropiada los diferentes puntos de vista cuando se definen los criterios del riesgo y cuando se valoran los riesgos;
> — proporcionar suficiente información para facilitar la supervisión del riesgo y la toma de decisiones;
> — construir un sentido de inclusión y propiedad entre las personas afectadas por el riesgo.

Alcance, contexto y criterios (Capítulo 6.3 - ISO 31000)

No basta con decir: hay que evaluar el riesgo, porque se corre el riesgo de hacerlo improvisadamente, se debe definir el alcance, esto es en qué niveles o en qué procesos se va a aplicar la gestión de riesgos, además analizar en qué condiciones opera la organización (contexto) y estar entonces en posibilidad de definir las técnicas y los criterios más adecuados para estimar y evaluar los riesgos.

6.3 Alcance, contexto y criterios
6.3.1 Generalidades
El propósito del establecimiento del alcance, contexto y criterios es adaptar el proceso de la gestión del riesgo, para permitir una evaluación del riesgo eficaz y un tratamiento apropiado del riesgo…

Se ha mencionado que los procesos tienen diferentes necesidades, así mismo, la organización en función de su dirección estratégica puede tener ciertas prioridades, por lo que el alcance para la gestión de riesgos no necesariamente se debe aplicarlo a toda la organización en un solo momento. Se puede iniciar con una aplicación piloto y después hacer una aplicación escalonada hasta cubrir el total de la organización. Lo que es importante es tener ese alcance perfectamente definido para que todos en la organización conozcan la ruta particular de aplicación y puedan identificar en qué momento se requiere de su participación.

6.3.2 Definición del alcance
La organización debería definir el alcance de sus actividades de gestión del riesgo.

Como el proceso de la gestión del riesgo puede aplicarse a niveles distintos (por ejemplo: estratégico, operacional, de programa, de proyecto u otras actividades), es importante tener claro el alcance considerado, los objetivos pertinentes a considerar y su alineación con los objetivos de la organización.

En la planificación del enfoque se incluyen las siguientes consideraciones:
— los objetivos y las decisiones que se necesitan tomar;
— los resultados esperados de las etapas a ejecutar en el proceso;
— el tiempo, la ubicación, las inclusiones y las exclusiones específicas;
— las herramientas y las técnicas apropiadas de evaluación del riesgo;
— los recursos requeridos, responsabilidades y registros a conservar;
— las relaciones con otros proyectos, procesos y actividades.

Cuando se conoce el contexto en el que se *mueve* la organización tanto interno como externo, la visión cambia o al menos debería cambiar, permite de algún modo identificar aquellos elementos que puede afectar positiva o negativamente el rumbo que se quiere para la organización, y por lo mismo permite identificar aquellos peligros que pueden en determinado momento, materializarse e impedir que se logren los resultados planificados.

6.3.3 Contextos externo e interno
Los contextos externo e interno son el entorno en el cual la organización busca definir y lograr sus objetivos.

El contexto del proceso de la gestión del riesgo se debería establecer a partir de la comprensión de los entornos externo e interno en los cuales opera la organización y debería reflejar el entorno específico de la actividad en la cual se va a aplicar el proceso de la gestión del riesgo.

La comprensión del contexto es importante porque:
— la gestión del riesgo tiene lugar en el contexto de los objetivos y las actividades de la organización;
— los factores organizacionales pueden ser una fuente de riesgo;
— el propósito y alcance del proceso de la gestión del riesgo puede estar interrelacionado con los objetivos de la organización como un todo;

La organización debería establecer los contextos externo e interno del proceso de la gestión del riesgo considerando los factores mencionados en 5.4.1.

Se deberían establecer los criterios y las técnicas o metodologías a utilizar para identificar, analizar y evaluar los riesgos, y relacionarlo a las necesidades particulares frente a su dirección estratégica. Se debería definir con claridad qué tipos de riesgos que se pueden aceptar o no, o aquellos en los que la organización por el riesgo inherente del producto o servicio que ofrecen, o bien de acuerdo con la naturaleza de sus procesos, están dispuestos a aceptar o tolerar.

6.3.4 Definición de los criterios del riesgo
La organización debería precisar la cantidad y el tipo de riesgo que puede o no puede tomar, con relación a los objetivos...debería definir los criterios para valorar la importancia del riesgo y para apoyar los procesos de toma de decisiones. Los criterios del riesgo se deberían alinear con el marco de referencia de la gestión del riesgo y adaptar al propósito y al alcance específicos de la actividad considerada. Los criterios del riesgo deberían reflejar los valores, objetivos y recursos de la organización y ser coherentes con las políticas y declaraciones acerca de la gestión del riesgo. Los criterios se deberían definir teniendo en consideración las obligaciones de la organización y los puntos de vista de sus partes interesadas.

Aunque los criterios del riesgo se deberían establecer al principio del proceso de la evaluación del riesgo, estos son dinámicos, y deberían revisarse continuamente y si fuese necesario, modificarse.

Para establecer los criterios del riesgo, se debería considerar lo siguiente:
— la naturaleza y los tipos de las incertidumbres que pueden afectar a los resultados y objetivos (tanto tangibles como intangibles);
— cómo se van a definir y medir las consecuencias (tanto positivas como negativas) y la probabilidad;
— los factores relacionados con el tiempo;
— la coherencia en el uso de las mediciones;
— cómo se va a determinar el nivel de riesgo;
— cómo se tendrán en cuenta las combinaciones y las secuencias de múltiples riesgos.

Evaluación del Riesgo (Capítulo 6.4 - ISO 31000)

Para algunas personas la *evaluación del riesgo* es la parte más interesante de la gestión de riesgos; es la etapa en que se compenetra en los procesos de la organización, la etapa en donde se analizan las actividades que tienen impacto en los resultados de la organización, de los sistemas, de los procesos o de los proyectos. Las preguntas que pueden resolver esta gran etapa son:

1. ¿Qué es lo que nos puede afectar?
2. ¿Cómo nos puede afectar?
3. ¿Cuáles son las características de eso que puede afectar?
4. ¿Cada cuándo se podría presentar eso que nos puede afectar?
5. ¿De qué tamaño sería la afectación?
6. ¿Tenemos controles para evitar su ocurrencia? Entre otras.

La norma ISO 31000 indica lo siguiente:

6.4.1 Generalidades

La evaluación del riesgo es el proceso global de identificación del riesgo, análisis del riesgo y valoración del riesgo. La evaluación del riesgo se debería llevar a cabo de manera sistemática, iterativa y colaborativa, basándose en el conocimiento y los puntos de vista de las partes interesadas. Se debería utilizar la mejor información disponible, complementada por investigación adicional, si fuese necesario.

El primer paso en esta etapa de evaluación del riesgo es la identificación de peligros (según las definiciones anteriormente explicadas o riesgos según esta norma). Para lograrlo hay una serie de recomendaciones a seguir para hacer una buena identificación:

- Integrar un equipo multidisciplinario que incluya: personal que conozca del sistema, proceso o actividad a evaluar; personal que conozca de las metodologías para identificar y estimar el valor del riesgo, principalmente.
- En ocasiones es recomendable involucrar al proveedor y al cliente para tener una visión amplia de la evaluación y de las partes interesadas más relevantes en el análisis,
- Obtener información completa del sistema, proceso o actividad a evaluar,
- Obtener información de los efectos en las variaciones del proceso,
- Contar con información de las materias primas, de las hojas de seguridad y de los efectos en el producto,
- Obtener información de las competencias del personal, de sus capacidades y limitaciones,
- Obtener estadísticas, informes u otra información relevante relacionada con la operación del sistema, proceso o actividad a evaluar, entre otros.

La norma ISO 31000 establece una serie de lineamientos al respecto:

6.4.2 Identificación del riesgo

El propósito de la identificación del riesgo es encontrar, reconocer y describir los riesgos que pueden ayudar o impedir a una organización lograr sus objetivos. Para la identificación de los riesgos es importante contar con información pertinente, apropiada y actualizada.

La organización puede utilizar una variedad de técnicas para identificar incertidumbres que pueden afectar a uno o varios objetivos. Se deberían considerar los factores siguientes y la relación entre estos factores:

— las fuentes de riesgo tangibles e intangibles;
— las causas y los eventos,
— las amenazas y las oportunidades;

— las vulnerabilidades[31] y las capacidades;
— los cambios en los contextos externo e interno;
— los indicadores de riesgos emergentes;
— la naturaleza y el valor de los activos y los recursos;
— las consecuencias y sus impactos en los objetivos;
— las limitaciones de conocimiento y la confiabilidad de la información;
— los factores relacionados con el tiempo;
— los sesgos, los supuestos y las creencias de las personas involucradas.

¿Cómo identificar los peligros?

Como ya se ha comentado en el capítulo Definiciones y de acuerdo con la *nueva* definición de peligro y lo que indica la norma OHSAS 18002[32] para identificar a un peligro se tiene que considerar lo siguiente:

1. **Fuente.** Por ejemplo: maquinaria en movimiento, radiación o fuentes de energía
2. **Situaciones.** Por ejemplo: trabajos en altura
3. **Actos.** Por ejemplo: levantar peso de forma manual

O combinación de ellos

También en este campo de la seguridad y salud en el trabajo la misma norma proporciona unos listados básicos para facilitar la identificación de los peligros, por ejemplo[33]:

Ejemplos de Peligros físicos:
• suelo resbaladizo o desigual
• trabajo en altura
• objetos que puedan caer desde alturas
• espacio de trabajo inadecuado
• ergonomía inadecuada (diseño del lugar de trabajo que no tenga en cuenta factores human
• manipulación manual de cargas
• trabajo repetitivo
• atrapamientos, enredos, quemaduras y otros peligros que surgen de los equipos
• peligros de transporte, tanto en la carretera como en las instalaciones/sitio, mientras se viaja o como peatón (relacionados con la velocidad y características externas de los vehículos y del entorno de la carretera)
• incendios y explosiones (relacionados con la cantidad y naturaleza de los materiales inflamables)
• fuentes de energía dañinas, tales como electricidad, radiación, ruido o vibración (relacionadas con la cantidad de energía involucrada)
• energía almacenada, que pueda liberarse rápidamente y causar daño físico al cuerpo (relacionada con la cantidad de energía)

---

[31] Nota: una vulnerabilidad es generalmente una situación de desventaja ante un evento peligroso.
[32] OHSAS 18002. (2008). Sistemas de gestión de la seguridad y salud en el trabajo...p. 5, pp. 14 - 19
[33] Ídem ... pp. 91-92

- tareas repetidas con frecuencia, que puedan conducir a problemas con los miembros superiores (relacionados con la duración de las tareas)
- entorno térmico inapropiado, que pueda conducir a hipotermia o golpe de calor
- violencia hacia los empleados, dando lugar a danos físicos (relacionado con la naturaleza de los autores)
- radiación ionizante (de máquinas de rayos X o rayos Gamma o sustancias radioactivas)
- radiación no ionizante (por ejemplo, luz, ondas magnéticas, ondas de radio).

Ejemplos de Peligros químicos:
Sustancias peligrosas para la salud o la seguridad debido a:
- la inhalación de vapores, gases o partículas;
- el contacto con el cuerpo o absorción por el mismo;
- la ingestión;
- el almacenamiento, incompatibilidad o degradación de los materiales.

Ejemplos de Peligros biológicos
Agentes biológicos, alérgenos, o patógenos (tales como bacterias y virus), que puedan:
- ser inhalados;
- transmitirse por contacto, incluyendo por fluidos corporales (por ejemplo, heridas por elementos punzantes), picaduras de insectos, etc.;
- ser ingeridos (por ejemplo, por productos alimenticios contaminados).

Ejemplo de Peligros psicosociales
Situaciones que puedan conducir a condiciones psicosociales (incluyendo fisiológicas) negativas, como estrés (incluyendo estrés postraumático), ansiedad, fatiga, depresión, por ejemplo:
- una carga de trabajo excesiva;
- falta de comunicación o de control de la dirección;
- el entorno físico del lugar de trabajo;
- violencia física;
- acoso (*bullying*) o intimidación.

La organización debería identificar los riesgos, tanto si sus fuentes están o no bajo su control. Se debería considerar que puede haber más de un tipo de resultado, que puede dar lugar a una variedad de consecuencias tangibles o intangibles.

Ahora bien, ¿qué pasa si estoy analizando y evaluando los riesgos en otros campos que no sea el de seguridad y salud en el trabajo? se recomienda tomar como referencia las definiciones sobre riesgo (*efecto de la incertidumbre sobre los objetivos*) y peligro (*fuente con potencial de causar deterioro o daño a un proyecto, proceso, sistema u organización*), y entonces realizar los siguientes pasos:

1. Definir el elemento de estudio: organización, sistema, proceso, actividad, proyecto,
2. Clarificar el objetivo del elemento de estudio y
3. Formular una pregunta clave:
   ¿qué es lo que puede evitar que se logre el objetivo?

Por ejemplo:

1. Se define el elemento de estudio para el análisis y evaluación de riesgos: proceso de adquisiciones
2. El objetivo del proceso es: garantizar el surtimiento de materias primas y materiales para lograr la continuidad de la operación, la pregunta sería
3. ¿Qué es lo que puede impedir que las materias no lleguen a tiempo, completas, en el lugar solicitado, la cantidad correcta, la calidad requerida?

Entonces los peligros asociados pudieran ser lo siguientes:

a. Requisición con datos insuficientes con relación a las materias primas o materiales a adquirir, cantidad, tiempos de entrega, etc.
b. Colocar una orden de compra con materias primas o materiales diferentes a los requeridos,
c. Colocación tardía de la orden de compra,
d. Colocar la orden de compra a proveedores no confiables,
e. Entrega incompleta de parte del proveedor, y
f. Colocación del pedido en locación diferente a la requerida, entre otros.

Todos los peligros anteriores evitarán que el objetivo del proceso se concrete.

Fuentes de información para identificar los peligros.

Si hablamos de seguridad y salud en el trabajo, según la norma OHSAS 18002, se puede considerar como fuentes de información las siguientes:

1. requisitos legales y otros requisitos de SST, por ejemplo, aquellos que prescriben la manera en que deberían identificarse los peligros;
2. la política de SST;
3. datos del seguimiento;
4. la exposición en el trabajo y los reconocimientos médicos laborales;
5. registros de incidentes;
6. informes de auditorías, evaluaciones o revisiones previas;
7. elementos de entrada de los empleados y de otras partes interesadas;
8. información de otros sistemas de gestión (por ejemplo, calidad o ambiental);
9. información de las consultas de SST de los empleados;
10. procesos de revisión y actividades de mejora en el lugar de trabajo;
11. información sobre las mejores prácticas y/o los peligros típicos en organizaciones similares;
12. informes de incidentes que hayan ocurrido en organizaciones similares;
13. información sobre las instalaciones, procesos y actividades de la organización, incluyendo lo siguiente:

a. diseño del lugar de trabajo, planes de tráfico (por ejemplo, caminos peatonales, rutas de los vehículos), planos del emplazamiento;
b. diagramas de flujo de procesos y manuales de operaciones; – inventarios de materiales peligrosos (materias primas, sustancias químicas, residuos, productos, subproductos);
c. especificaciones de los equipos; – especificaciones de producto, fichas técnicas de seguridad de los materiales, toxicología y otros datos de SST.

Si nuestro análisis de peligros es en otros campos, entonces considere lo que Montaño (1995) menciona sobre las fuentes para identificar los *riesgos* (peligros) [34]:

1. Cuestionarios (especialmente diseñados para identificar peligros),
2. Análisis financieros y estadísticos,
3. Diagramas de flujo de procesos,
4. Resultados de Inspecciones básicas,
5. Experiencias previas
6. Otros documentos internos

6.4.3 Análisis del riesgo

El segundo paso para la evaluación del riesgo es el análisis de sus características. En esta fase es cuando es importante la experiencia del personal, la información, los diagramas, las estadísticas, las quejas, los reportes y todo lo relacionado con el elemento de estudio. Desde aquí se comienzan a utilizar las metodologías para el análisis y estimación del riesgo. La norma ISO 31000 establece los siguientes lineamientos siguientes

El propósito del análisis del riesgo es comprender la naturaleza del riesgo y sus características incluyendo, cuando sea apropiado, el nivel del riesgo. El análisis del riesgo implica una consideración detallada de incertidumbres, fuentes de riesgo, consecuencias, probabilidades, eventos, escenarios, controles y su eficacia. Un evento puede tener múltiples causas y consecuencias y puede afectar a múltiples objetivos.

El análisis del riesgo se puede realizar con diferentes grados de detalle y complejidad, dependiendo del propósito del análisis, la disponibilidad y la confiabilidad de la información y los recursos disponibles.

Las técnicas de análisis pueden ser cualitativas, cuantitativas o una combinación de éstas, dependiendo de las circunstancias y del uso previsto.

El análisis del riesgo debería considerar factores tales como:
— la probabilidad de los eventos y de las consecuencias;
— la naturaleza y la magnitud de las consecuencias;

---

[34] Montaño Sánchez, Josefina (1995). Administración de riesgos en hotelería… pp. 72-74

— la complejidad y la interconexión;
— los factores relacionados con el tiempo y la volatilidad;
— la eficacia de los controles existentes;
— los niveles de sensibilidad y de confianza.

El análisis del riesgo puede estar influenciado por cualquier divergencia de opiniones, sesgos, percepciones del riesgo y juicios. Las influencias adicionales son la calidad de la información utilizada, los supuestos y las exclusiones establecidos, cualquier limitación de las técnicas y cómo se ejecutan éstas. Estas influencias se deberían considerar, documentar y comunicar a las personas que toman decisiones.

Los eventos de alta incertidumbre pueden ser difíciles de cuantificar. Esto puede ser una cuestión importante cuando se analizan eventos con consecuencias severas. En tales casos, el uso de una combinación de técnicas generalmente proporciona una visión más amplia.

El análisis del riesgo proporciona una entrada para la valoración del riesgo, para las decisiones sobre la manera de tratar los riesgos y si es necesario hacerlo y sobre la estrategia y los métodos más apropiados de tratamiento del riesgo. Los resultados proporcionan un entendimiento profundo para tomar decisiones, cuando se está eligiendo entre distintas alternativas, y las opciones implican diferentes tipos y niveles de riesgo.

Lo que indica la norma ISO 31000 respecto de la valoración del riesgo es lo siguiente:

6.4.4 Valoración del riesgo

Posteriormente al análisis del peligro (riesgo), en algunos casos de manera inmediata, se realiza la evaluación o valoración del riesgo y la recomendación en esta fase es que se tenga cuidado con dos comportamientos comunes del personal que participa en la valoración y que se debe tener la precaución necesaria para que no afecte el resultado:

a. El comportamiento fatalista, el que todo lo ve catastrófico,
b. El comportamiento optimista, el que cree que no va a pasar nada.

Ambos comportamientos son dañinos para el proceso de valoración del riesgo.

El propósito de la valoración del riesgo es apoyar a la toma de decisiones. La valoración del riesgo implica comparar los resultados del análisis del riesgo con los criterios del riesgo establecidos para determinar cuándo se requiere una acción adicional. Esto puede conducir a una decisión de:

— no hacer nada más;

— considerar opciones para el tratamiento del riesgo;
— realizar un análisis adicional para comprender mejor el riesgo;
— mantener los controles existentes;
— reconsiderar los objetivos.

Las decisiones deberían tener en cuenta un contexto más amplio y las consecuencias reales y percibidas por las partes interesadas externas e internas.

Los resultados de la valoración del riesgo se deberían registrar, comunicar y luego validar en los niveles apropiados de la organización.

Procesos similares para la evaluación de riesgos.

Procesos de Evaluación de riesgos en la Administración Pública Federal (APF-México)

Se hace un listado simple de las etapas que se indican para la gestión o administración del riesgo[35]:

I.   Comunicación y consulta
II.   Contexto.
III. Evaluación de riesgos.
IV.   Evaluación de controles.
V.   Evaluación de riesgos respecto a controles.
VI.   Mapa de riesgos.
VII. Definición de estrategias y acciones de control para responder a los riesgos.

Chapman (2006) establece un proceso para la gestión de riesgos en 6 etapas y lo interesante es que proporciona una serie de mecanismos o herramientas a utilizar en cada etapa, así como una serie de acciones a ejecutar [36]:

El proceso de la gestión del riesgo.

1. **Analizar la empresa**: El objetivo de esta primera etapa es obtener datos exactos y oportunos.

   Mecanismos de procesos (facilitadores):
   Proporciones (tazas o razones -financieras).
   Diagnóstico de proceso de la gestión del riesgo.
   Análisis de Fortalezas, Debilidades, Oportunidades y Amenazas (SWOT).
   Análisis de factores Políticos, Económicos, Sociales y Tecnológicos (PEST).

   Actividades de proceso:

---

[35] ACUERDO por el que se emiten las Disposiciones y el Manual Administrativo de Aplicación General en Materia de Control Interno... pp. 31-56
[36] Chapman, R. (2006). Simple Tools and Techniques for enterprise Risk Management... pp. 109-199

Objetivos de la empresa.
Plan de la empresa.
Examinar la industria.
Establecer los procesos.
Declaraciones financieras proyectadas.
Recursos.
Cambio de gestión.
Plan de marketing.
Sistemas de conformidad.

2. **Identificación del riesgo:** Es un proceso transformacional donde el personal experimentado genera una serie de riesgos y oportunidades.

Mecanismos de proceso (facilitadores):
Lista de verificación del riesgo
Lista inmediata del riesgo
Análisis de la brecha
Taxonomía del riesgo
Análisis de factores Políticos, Económicos, Sociales y Tecnológicos (PEST) inmediato.
Análisis de Fortalezas, Debilidades, Oportunidades y Amenazas (SWOT) inmediato.
Base de datos.
Desglose de la estructura de riesgo en la empresa.
Cuestionario del riesgo.
Estructura/contenido del registro de riesgo .

Actividades de proceso:
Clarificar los objetivos de la empresa.
Revisar el análisis de la empresa.
Identificación de riesgo y oportunidad.
Ganar un consenso acerca de los riesgos, oportunidades y sus interdependencias.
Registro del riesgo

3. **Apreciación del riesgo:** El propósito de esta etapa es proveer un juicio de la probabilidad e impacto de los riesgos y oportunidades identificadas, estos deben de ser materializadas.

Mecanismos de proceso (facilitadores):
Probabilidad

Actividades de proceso:
Análisis de causas.
Análisis de decisión.
Análisis de Pareto.
Análisis del Modelo de Valoración de Capital de Activos (CAMP)

Definir las categorías de evaluación y valores de riesgo

4. **Evaluación del riesgo:** Esta etapa es central para entender la probabilidad de exposición al riesgo, así como las oportunidades potenciales crecientes de una actividad empresarial.

Mecanismos de proceso (facilitadores):
Árboles de probabilidad.
Valor monetario esperado.
Teoría utilitaria y funciones.
Árboles de decisión.
Cadena de Márkov.
Estimación de la inversión.

Actividades de proceso:
Conceptos básicos de probabilidad.
Análisis de sensibilidad.
Análisis de escenarios.
Simulación.
Simulación de Montecarlo.
Hipercubo Latino.
Distribuciones de probabilidad.

5. **Planeación del riesgo:** Esta etapa usa todo el esfuerzo previo de predecir la gestión del riesgo para producir respuestas y planes de acción específicos para atender los riesgos y oportunidades identificadas para asegurar los objetivos de la empresa.

Estrategias de respuesta ante el riesgo:
Reducción del riesgo.
Remoción del riesgo.
Transferencia del riesgo o reasignación.
Retención del riesgo.

6. **Gestión del riesgo:** Es la etapa crítica para la implementación exitosa del proceso de gestión de riesgo como un todo.

Actividades de proceso:
Ejecución.
Monitoreo.
Control.

Tratamiento de Riesgo (Capítulo 6.5 - ISO 31000)

Una vez que se conoce el estado o valor del riesgo viene la toma de decisiones y las acciones necesarias de acuerdo con los valores obtenidos.

En esta etapa, dependiendo de los criterios establecidos previamente o bien de las técnicas o metodologías utilizadas se puede facilitar la decisión sobre las acciones a desarrollar o mejor dicho los tratamientos de los riesgos requeridos.[37]

La norma ISO 31000 presenta las siguientes directrices:

6.5.1 Generalidades
El propósito del tratamiento del riesgo es seleccionar e implementar opciones para abordar el riesgo.

El tratamiento del riesgo implica un proceso iterativo de:
— formular y seleccionar opciones para el tratamiento del riesgo;
— planificar e implementar el tratamiento del riesgo;
— evaluar la eficacia de ese tratamiento;
— decidir si el riesgo residual es aceptable;
— si no es aceptable, efectuar tratamiento adicional.

Particular atención se debe poner en la selección del tratamiento correspondiente, ya que depende en gran medida del objetivo general que se busca o criterio de aprobación o rechazo establecido para los riesgos. Un ejemplo de esto es cuando un alto directivo decidió seguir considerando un riesgo ambiental como grave a pesar de que los controles y acciones sobre un elemento indicaban un riesgo mediano, sin embargo ese directivo expresó la necesidad de no perder de vista que aunque estuviera controlado el riesgo el impacto al medio ambiente, aunque bajo, este era permanente, entones dio la instrucción de no descuidar el control actual y desarrollar más actividades para subsanar el impacto ambiental causado.

6.5.2 Selección de las opciones para el tratamiento del riesgo
La selección de las opciones más apropiadas para el tratamiento del riesgo implica hacer un balance entre los beneficios potenciales, derivados del logro de los objetivos contra costos, esfuerzo o desventajas de la implementación.

Las opciones de tratamiento del riesgo no necesariamente son mutuamente excluyentes o apropiadas en todas las circunstancias. Las opciones para tratar el riesgo pueden implicar una o más de las siguientes:

— evitar el riesgo decidiendo no iniciar o continuar con la actividad que genera el riesgo;
— aceptar o aumentar el riesgo en busca de una oportunidad;
— eliminar la fuente de riesgo;

---

[37] Nota: Por ejemplo, si se utiliza una matriz de riesgos, herramienta que generalmente expresa el nivel de riesgos con colores, y si el estado obtenido corresponde a un riesgo mínimo (en zona verde), entonces el criterio es aceptar el riesgo con los controles actuales; por el contrario, si el estado obtenido corresponde a un riesgo grave (en zona roja), entonces el criterio es darle un tratamiento para mejorar los controles sobre el elemento evaluado y en el mejor de los casos reducir el valor o estado del riesgo obtenido.

— modificar la probabilidad;
— modificar las consecuencias;
— compartir el riesgo (por ejemplo: a través de contratos, compra de seguros);
— retener el riesgo con base en una decisión informada.

La selección de las opciones para el tratamiento del riesgo debería realizarse de acuerdo con los objetivos de la organización, los criterios del riesgo y los recursos disponibles.

… para el tratamiento del riesgo, la organización debería considerar los valores, las percepciones, el involucrar potencialmente a las partes interesadas y los medios más apropiados para comunicarse con ellas y consultarlas…

Los tratamientos del riesgo, a pesar de un cuidadoso diseño e implementación, pueden no producir los resultados esperados y producir consecuencias no previstas. El seguimiento y la revisión necesitan ser parte integral de la implementación del tratamiento del riesgo para asegurar que las distintas maneras del tratamiento sean y permanezcan eficaces.

Si no hay opciones disponibles para el tratamiento o si las opciones para el tratamiento no modifican suficientemente el riesgo, este se debería registrar y mantener en continua revisión.

Las personas que toman decisiones y otras partes interesadas deberían ser conscientes de la naturaleza y el nivel del riesgo residual después del tratamiento del riesgo. El riesgo residual se debería documentar y ser objeto de seguimiento, revisión y, cuando sea apropiado, de tratamiento adicional.

En experiencia del que escribe, no siempre con los tratamientos definidos y ejecutados automáticamente se lleva al riesgo de un estado alto o grave a otro de nivel bajo o mínimo. En algunos procesos, debido al riesgo inherente quizá lo que podemos lograr con las acciones emprendidas será disminuir la frecuencia de ocurrencia, pero no el nivel de severidad o gravedad del daño que puede llegar a causar el riesgo, por lo mismo tal vez la valoración inicial no cambie mucho por lo que hay que tener cuidado y seguir monitoreando el proceso.

6.5.3 Preparación e implementación de los planes de tratamiento del riesgo
El propósito de los planes de tratamiento del riesgo es especificar la manera en la que se implementarán las opciones elegidas para el tratamiento, de manera tal que los involucrados comprendan las disposiciones, y que pueda realizarse el seguimiento del avance respecto de lo planificado. El plan de tratamiento debería identificar claramente el orden en el cual el tratamiento del riesgo se debería implementar.

Los planes de tratamiento deberían integrarse en los planes y procesos de la gestión de la organización, en consulta con las partes interesadas apropiadas. La información proporcionada en el plan del tratamiento debería incluir:

— el fundamento de la selección de las opciones para el tratamiento, incluyendo los beneficios esperados;
— las personas que rinden cuentas y aquellas responsables de la aprobación e implementación del plan;

— las acciones propuestas;
— los recursos necesarios, incluyendo las contingencias;
— las medidas del desempeño;
— los informes y seguimiento requeridos;
— los plazos previstos para la realización y la finalización de las acciones.

Otros criterios relacionados al tratamiento de los riesgos.

En el Manual general de aplicación del control interno de la APF (México) se establecen algunos tratamientos para los riesgos, particularmente el manual habla de estrategias y acciones de control para responder a los riesgos[38]:

1. **Evitar el riesgo**. Se refiere a eliminar el factor o factores que pueden provocar la materialización del riesgo, considerando que sí una parte del proceso tiene alto riesgo, el segmento completo recibe cambios sustanciales por mejora, rediseño o eliminación, resultado de controles suficientes y acciones emprendidas.
2. **Reducir el riesgo**. Implica establecer acciones dirigidas a disminuir la probabilidad de ocurrencia (acciones de prevención) y el impacto (acciones de contingencia), tales como la optimización de los procedimientos y la implementación o mejora de controles.
3. **Asumir el riesgo**. Se aplica cuando el riesgo se encuentra en la zona de Riesgos Controlados de baja probabilidad de ocurrencia y grado de impacto y puede aceptarse sin necesidad de tomar otras medidas de control diferentes a las que se poseen, o cuando no se tiene opción para abatirlo y sólo pueden establecerse acciones de contingencia.
4. **Transferir el riesgo**. Consiste en trasladar el riesgo a un externo a través de la contratación de servicios tercerizados, el cual deberá tener la experiencia y especialización necesaria para asumir el riesgo, así como sus impactos o pérdidas derivadas de su materialización. Esta estrategia cuenta con tres métodos:

   Protección o cobertura: Cuando la acción que se realiza para reducir la exposición a una pérdida, obliga también a renunciar a la posibilidad de una ganancia.
   Aseguramiento: Significa pagar una prima (el precio del seguro) para que, en caso de tener pérdidas, éstas sean asumidas por la aseguradora.
   Hay una diferencia fundamental entre el aseguramiento y la protección. Cuando se recurre a la segunda medida se elimina el riesgo renunciando a una ganancia posible. Cuando se recurre a la primera medida se paga una prima para eliminar el riesgo de pérdida, sin renunciar por ello a la ganancia posible.
   Diversificación: Implica mantener cantidades similares de muchos activos riesgosos en lugar de concentrar toda la inversión en uno sólo, en consecuencia, la diversificación reduce la exposición al riesgo de un activo individual.

Ahora la norma ISO 45001[39] establece una serie de acciones para eliminar peligros y reducir riesgos, esta serie de acciones generalmente se conoce como la jerarquía para el control de los riesgos:

8.1.2 Eliminar peligros y reducir los riesgos para la SST

---

[38] ACUERDO por el que se emiten las Disposiciones y el Manual Administrativo de Aplicación General en Materia de Control Interno... p. 35.
[39] ISO 45001. (2018). Sistemas de gestión de la seguridad y salud en el trabajo – Requisitos con orientación para su uso. International. Suiza: Organization for Standarization. p.31

La organización debe establecer, implementar y mantener uno o varios procesos para la eliminación de los peligros y la reducción de los riesgos para la SST utilizando la siguiente jerarquía de los controles:

a) Eliminar el peligro;
b) Sustituir con materiales, procesos, operaciones o equipos menos peligrosos;
c) Utilizar controles de ingeniería y/o reorganización de trabajo;
d) Utilizar controles administrativos, incluyendo la formación;
e) Utilizar equipos de protección individual adecuados.
e) Equipo de protección personal. [EPP]

Es curioso como en la práctica, algunas organizaciones con un enfoque incorrecto sobre la seguridad y salud en el trabajo invierten el orden de los controles, esto es, empiezan por limitarse a asignarle un EPP al personal y muchas veces eso no evitaría que el riesgo se materialice y cause algunas consecuencias negativas.

Seguimiento y Revisión (Capítulo 6.6 - ISO 31000)

Es posible que al inicio del proceso de evaluación del riesgo, el personal no sea tan diestro tanto en la identificación y análisis de peligros como en el establecimiento del valor o estado del riesgo analizado, entonces, es conveniente no perder de vista que se requiere definir y realizar diferentes actividades tanto de seguimiento a las acciones y controles por establecer como la revisión de qué tan actuales y convenientes son los valores o estados reportados de los riesgos y si las situaciones cambiantes del entorno no los han afectado.

También, aunque esta gestión de riesgos es netamente una gran herramienta preventiva, se puede retroalimentar de las no conformidades o desviaciones en los procesos o en los productos y de las acciones correctivas realizadas a fin de reconsiderar si los análisis y evaluaciones de los riesgos pueden ser actualizados y mejorados, incluso si la toma de decisiones sobre el establecimiento de controles ha sigo correcto. Aquí la norma ISO 31000 indica ciertos lineamientos a seguir:

El propósito del seguimiento y la revisión es asegurar y mejorar la calidad y la eficacia del diseño, la implementación y los resultados del proceso. El seguimiento continuo y la revisión periódica del proceso de la gestión del riesgo y sus resultados debería ser una parte planificada del proceso de la gestión del riesgo, con responsabilidades claramente definidas.

El seguimiento y la revisión deberían tener lugar en todas etapas del proceso. El seguimiento y la revisión incluyen planificar, recopilar y analizar información, registrar resultados y proporcionar retroalimentación.

Los resultados del seguimiento y la revisión deberían incorporarse a todas las actividades de la gestión del desempeño, de medición y de informe de la organización.

Registro e informe (Capítulo 6.7 - ISO 31000)

Es fundamental dejar constancia documental del proceso de evaluación del riesgo, ya que esta información puede servir para varios propósitos:

a. Como base para la mejora,
b. Para capacitar al personal,
c. Para evaluar la efectividad del proceso,
d. Como evidencia de cumplimiento de los objetivos,
e. Como evidencia del involucramiento del personal en el proceso,
f. Como mecanismo que orienta la necesidad del cambio,
g. Soporte para la toma de decisiones, por mencionar algunos.

La ISO 31000 proporciona la siguiente orientación:

> El proceso de la gestión del riesgo y sus resultados se deberían documentar e informar a través de los mecanismos apropiados. El registro e informe pretenden:
>
> — comunicar las actividades de la gestión del riesgo y sus resultados a lo largo de la organización;
> — proporcionar información para la toma de decisiones;
> — mejorar las actividades de la gestión del riesgo;
> — asistir la interacción con las partes interesadas, incluyendo a las personas que tienen la responsabilidad y la obligación de rendir cuentas.
>
> Las decisiones con respecto a la creación, conservación y tratamiento de la información documentada deberían tener en cuenta, pero no limitarse a su uso, la sensibilidad de la información y los contextos externo e interno.

54

6. Aplicación de la gestión de riesgos en los sistemas de gestión

La situación ahora es si se quiere implementar la *gestión de riesgos* a mi *sistema de gestión*, ¿qué se debe hacer? Otra pregunta quizá sea ¿Y si se cuenta con un proceso o prácticas para tratar los riesgos en mi organización, los desecho o que nuevas consideraciones debo tomar?

Al respecto, en la norma ISO 31000 se comenta que es necesario considerar las prácticas, procesos y técnicas que la organización esté aplicando y valorar las posibles brechas que existan sobre los elementos del marco de referencia que la misma norma establece.

Entonces, una vez realizada la recomendación anterior, entonces estaría en posibilidad de establecer su propio proceso de gestión de riesgos aplicado a su sistema de gestión.

Actualmente, los sistemas de gestión han evolucionado de manera que un componente fundamental es el requisito que lleva por nombre: Acciones para abordar riesgos y oportunidades, en adición, en cada sistema de gestión actual requiere de cierto tratamiento de riesgos en algunos componentes de este, por eso en la sección siguiente se hará una breve explicación de esos requerimientos generales y particulares de cada sistema de gestión con relación a la gestión de los riesgos.

Cabe hacer la aclaración que las normas sobre sistemas de gestión no solicitan que se gestionen los riesgos de acuerdo con las directrices de la norma ISO 31000, sin embargo, es conveniente adoptar, desde la experiencia del que escribe, los principios y algunos elementos del marco de referencia, así como el proceso para la gestión de los riesgos, ya que esto facilitará el trabajo al interior de la organización y permitirá una gestión de riesgos exitosa. Y ¿qué elementos del marco de referencia se podrían adoptar para gestionar los riesgos en un sistema de gestión? La siguiente lista representa una opción de adecuación de la ISO 31000 a un sistema de gestión:

1. Liderazgo y compromiso orientado a la gestión de riesgos, que curiosamente se nombran igual tanto en la norma ISO 31000 como por ejemplo en la norma ISO 9001
2. Integración, esto es, aplicación de la gestión de los riesgos a todos los procesos que sean parte del sistema de gestión en cuestión.
3. Comprensión de la organización y su contexto, se relaciona con el requisito del mismo nombre en los sistemas de gestión,
4. Articulación del compromiso con la gestión del riesgo, la sugerencia es, no necesariamente crear una política de riesgos adicional a la propia del sistema de gestión que se esté desarrollando, sino que se incorpore a dicha política un elemento que dé cabida a la gestión de riesgos.
5. Asignación de responsabilidades, que no es necesario burocratizar el sistema de gestión de riesgos toda vez que las responsabilidades y rendición de cuentas sobre los riesgos, pueden ser asignadas a los dueños de los procesos de la organización, ya que son ellos los responsables naturales de lograr los resultados para cada proceso y para los productos o servicios que de ellos se generen.
6. Asignación de recursos. Principalmente que haya disponibilidad de tiempo para el personal que participará activamente en el análisis y evaluación de los riesgos, así como aquellos necesarios para capacitar y comunicar lo necesario, y
7. Comunicación, que se debe incorporar el análisis y evaluación de los riesgos dentro de la comunicación necesaria para cada sistema de gestión.

Aplicación en el Sistema de Gestión de Calidad (SGC) ISO 9001:2015[40]

El concepto de "riesgo" en el contexto de la norma ISO 9001 se refiere a la incertidumbre en la consecución de los objetivos de calidad, pero se puede ampliar a diferentes elementos del sistema que cuentan con objetivos como lo puede ser: la propia organización, los sistemas internos, los procesos, procedimientos o proyectos, tal como se ha mencionado desde el inicio de este libro.

En primer lugar y de acuerdo con el orden de aparición de los requerimientos en la norma ISO 9001 se solicita que se determinen los procesos necesarios para el sistema de gestión de la calidad y que para cada uno de ellos se determinen los riesgos y oportunidades (aquellos efectos negativos o positivos), además de establecer el tratamiento correspondiente:

4.4 Sistema de gestión de la calidad y sus procesos
La organización debe determinar los procesos necesarios para el sistema de gestión de la calidad y su aplicación a través de la organización, y debe determinar:

f) **los riesgos y oportunidades** de acuerdo con los requisitos del apartado 6.1, y planificar e implementar las acciones adecuadas para tratarlos;

Un comentarios adicional y derivado de la cláusula anterior, para los sistemas de gestión por analizarse subsecuentemente: aunque no se solicite para sus procesos la determinación de los riesgos y oportunidades, se sugiere se aplique como una práctica de excelencia[41].

En general, derivado de que las normas de sistemas de gestión se estructuran de acuerdo a lo que se llama la estructura de alto nivel (HLS por sus siglas en inglés), los comentarios sobre el requisito siguiente, tendrán la misma validez para cualquier sistema de gestión, por lo que solo en esta sección de ISO 9001 se explicará y en el análisis de los sistemas de gestión posteriores solamente se comentará lo correspondiente a la disciplina en cuestión; entiéndase como disciplina al campo de aplicación del sistema de gestión:

- Calidad (ISO 9001),
- Dispositivos Médicos (ISO 13485),
- Ambiental (ISO 14001),
- Servicios en tecnología de la información (ISO 20000-1),
- Organizaciones Educativas (ISO 21001),
- Sistema de gestión de inocuidad alimentaria (ISO 22000),
- Seguridad de la Cadena de Suministro (ISO 28000),
- antisoborno (ISO 37001), y
- Seguridad Vial ISO (39001)

El siguiente requisito de la norma ISO 9001 da la pauta para analizar los riesgos en un marco amplio; desde una visión estratégica, por lo que el requerimiento se dirige en este momento hacia

---

[40] ISO 9001. (2015). Sistemas de Gestión de la Calidad. Requisitos. España: AENOR.
[41] Nota: Sí se solicita en los sistemas de gestión la determinación de los procesos necesarios para operar el propio sistema, pero no así la determinación de sus riesgos, salvo como se ha comentado los propios del sistema y disciplina.

la identificación de algún peligro-riesgo que esté tanto en el contexto (interno y externo) que pueda impactar la dirección estratégica[42], como aquél que esté relacionado con un requisito de una parte interesada relevante. A este nivel es conveniente preguntarse ¿qué peligros pueden afectar los objetivos estratégicos de la organización, objetivos de calidad o los objetivos de proyectos prioritarios para la organización que estén relacionados con elementos del contexto o con las partes interesadas? El requisito es el siguiente[43]:

6.1 Acciones para tratar riesgos y oportunidades
6.1.1 Al planificar el sistema de gestión de la calidad, la organización debe considerar las cuestiones referidas en el apartado 4.1 [Conocimiento de la organización/contexto de la organización] y los requisitos referidos en el apartado 4.2 [Comprensión de las necesidades y expectativas de las partes interesadas], y *determinar los riesgos y oportunidades* con el fin de:

a) asegurar que el sistema de gestión de la calidad pueda lograr sus resultados previstos;
b) aumentar los efectos deseables;
c) prevenir o reducir efectos no deseados;
d) lograr la mejora

Entonces, se debe remitir a esos apartados que la norma indica y entender el requerimiento para poder gestionar los riesgos involucrados. Los peligros están ahí, se podrán identificar a partir de la información del contexto y de las partes interesadas, posteriormente se estará en posibilidad de evaluar el estado o nivel de sus riesgos que representan para la organización y su dirección estratégica, incluso podría estar involucrado de manera específica un riesgo relacionado con el producto o servicio que proporciona la organización.

4.1 Conocimiento de la organización
La organización debe determinar las *cuestiones externas e internas* que son pertinentes para su propósito y su dirección estratégica y *que afectan a su capacidad para lograr los resultados previstos de su sistema de gestión de la calidad*.

4.2 Comprensión de las necesidades y expectativas de las partes interesadas
Debido a su impacto o impacto potencial en la capacidad de la organización de proporcionar de forma coherente productos y servicios que satisfagan los requisitos del cliente y los legales y reglamentarios aplicables, la organización debe determinar:

a) las partes interesadas que son pertinentes al sistema de gestión de la calidad;
b) *los requisitos de estas partes interesadas* que son pertinentes para el sistema de gestión de la calidad.

Posteriormente, la norma ISO 9001 indica que una vez identificados y analizados los peligros y evaluados los riesgos (y oportunidades[44]), entonces, se debe tomar acción sobre ellos:

---

[42] La dirección estratégica se puede componer de tres elementos: la planeación filosófica, la planeación estratégica y la planeación operativa.
[43] ISO 9001 (2015) Sistema de gestión de la calidad, Requisitos... pp 17-18
[44] Nota: Una alternativa para *evaluar* las oportunidades podría ser mediante la propuesta que comentan Ricardo-Cabrera, et all. (2016) en su Procedimiento para la identificación y evaluación de las oportunidades de mejora: medición de la factibilidad e impacto, y en donde definen utilizar la fórmula de Factibilidad es igual al producto del

6.1.2 La organización debe planificar:
a) las acciones para *tratar estos riesgos y oportunidades*;
b) La manera de:
    1) integrar e implementar las acciones en sus procesos del sistema de gestión de la calidad;
    2) evaluar la eficacia de estas acciones.

Las acciones tomadas para abordar los riesgos y oportunidades deben ser proporcionales al impacto potencial en la conformidad de los productos y los servicios.

Aplicación en el Sistema de Gestión Ambiental (SGA) ISO 14001:2015[45]

El concepto de "riesgo" en el contexto de la norma ISO 14001 se refiere principalmente a la incertidumbre en la consecución de los objetivos ambientales, así como prevenir o reducir los efectos indeseados que en su conjunto lleven a la organización hacia la mejora continua. Sin embargo, la gestión de riesgos ambientales puede tener varias rutas complementarias:

a. Los riesgos y oportunidades asociados al contexto (interno y externo) y partes interesadas, según se explicó en la sección anterior,
b. Los riesgos y oportunidades asociados a los aspectos ambientales,
c. Los riesgos asociados a sus requerimientos legales, y
d. Los riesgos de los procesos del sistema de gestión ambiental, según se explicó en la sección anterior.

6.1 Acciones para abordar riesgos y oportunidades
La organización debe establecer, implementar y mantener los procesos necesarios para cumplir los requisitos de los apartados 6.1.1 a 6.1.4.

…

y **determinar los riesgos y oportunidades** relacionados con sus:
— aspectos ambientales;
— requisitos legales y otros requisitos;
— otras cuestiones y requisitos identificados en los apartados 4.1 y 4.2;

que necesitan abordarse para:
— asegurar que el sistema de gestión ambiental puede lograr sus resultados previstos;
— prevenir o reducir los efectos no deseados, incluida la posibilidad de que condiciones ambientales externas afecten a la organización;
— lograr la mejora continua.

---

costo de la oportunidad multiplicado por el impacto, aunque apoyados por criterios (en tablas) para cada uno de estos elementos.

[45] ISO 45001. (2018). Sistemas de gestión de la seguridad y salud en el trabajo. Requisitos con orientación para su uso. Switzerland: International Organization for Standarization.

La ISO 14001 da una particular atención a las situaciones de emergencia ambientales, sin embargo, si se estuvieran gestionando los riesgos de acuerdo con un esquema amplio según la ISO 31000, estas emergencias ambientales ser tratarían como otro tipo más de riesgo.

Dentro del alcance del sistema de gestión ambiental, la organización debe determinar las situaciones de emergencia potenciales, incluidas las que pueden tener un impacto ambiental.

Y en la norma ISO 14001, a diferencia de la norma ISO 9001, sí establece de manera obligatoria mantener la información documentada[46] necesaria relacionada con la gestión de los riesgos *ambientales*:

La organización debe mantener la información documentada de sus:
— riesgos y oportunidades que es necesario abordar;
— procesos necesarios especificados desde el apartado 6.1.1 al apartado 6.1.4, en la medida necesaria para tener confianza de que se llevan a cabo de la manera planificada.

Los aspectos ambientales significativos son para propósitos prácticos, el equivalente a los riesgos graves (zona roja) de una matriz de riesgos. Entonces la prioridad en requerimiento de la norma ISO 14001 es el equivalente a 1. Identificar los peligros, en este caso los aspectos ambientales, 2. Analizarlos y 3. Evaluarlos para determinar cuáles de ellos son significativos o que representan un riesgo alto o grave para la consecución de los objetivos ambientales y bien, que impactan de manera negativa en el medio ambiente como consecuencia de sus actividades, procesos y productos.

6.1.2 Aspectos ambientales[47]
Dentro del alcance definido del sistema de gestión ambiental, la organización debe determinar los aspectos ambientales de sus actividades, productos y servicios que puede controlar y de aquellos en los que puede influir, y sus impactos ambientales asociados, desde una perspectiva de ciclo de vida.

Cuando se determinan los aspectos ambientales, la organización debe tener en cuenta:

1) los cambios, incluidos los desarrollos nuevos o planificados, y las actividades, productos y servicios nuevos o modificados;
b) las condiciones anormales y las situaciones de emergencia razonablemente previsibles.

La organización debe determinar aquellos aspectos que tengan o puedan tener un impacto ambiental significativo, es decir, los aspectos ambientales significativos, mediante el uso de criterios establecidos.

---

[46] Nota: según la ISO 9000 (2015) y la ISO 14001 (2015) la información documentadas es la que una organización tiene que controlar y mantener, y el medio que la contiene.

[47] Nota: según ISO 14001 (2015), un aspecto ambiental, es un elemento de las actividades, productos o servicios de una organización que interactúa o puede interactuar con el medio ambiente y un impacto ambiental es un cambio en el medio ambiente, ya sea adverso o beneficioso, como resultado total o parcial de los aspectos ambientales de una organización

La organización debe comunicar sus aspectos ambientales significativos entre los diferentes niveles y funciones de la organización, según corresponda.

La organización debe mantener información documentada de sus:
— aspectos ambientales e impactos ambientales asociados;
— criterios usados para determinar sus aspectos ambientales significativos;
— aspectos ambientales significativos.

6.1.3 Requisitos legales y otros requisitos

Si bien en este apartado 6.3, no hay un requerimiento específico sobre un riesgo, lo relevante es que se debe considerar que algún requerimiento legal y otros requisitos pueden dar como resultado riesgos y oportunidades para la organización. Algunos autores consideran incluso los elementos legales como elementos para definir la significancia de los aspectos ambientales, sin embargo, hay que tener en consideración que esto podría resultar en que todos los aspectos ambientales en donde exista un requerimiento legal asociado, sea significativo y ese podría ser un enfoque limitado.

Y a continuación, la norma ISO 14001, establece el requerimiento de dar tratamiento a los riesgos ambientales:

6.1.4 Planificación de acciones
La organización debe planificar:

a) la toma de acciones para abordar sus:
1) aspectos ambientales significativos;
2) requisitos legales y otros requisitos;
3) riesgos y oportunidades identificados en el apartado 6.1.1;

2) la manera de:
1) integrar e implementar las acciones en los procesos de su sistema de gestión ambiental (véanse 6.2, 7, 8 Y 9.1) o en otros procesos de negocio;
2) evaluar la eficacia de estas acciones.

Cuando se planifiquen estas acciones, la organización *debe considerar sus opciones tecnológicas y sus requisitos financieros, operacionales y de negocio.*

Por obvias razones, la norma ISO 14001 considera que se deben evaluar los riesgos y oportunidades asociados a sus objetivos ambientales:

6.2.1 Objetivos ambientales
La organización debe establecer objetivos ambientales para las funciones y niveles pertinentes, teniendo en cuenta los aspectos ambientales significativos de la organización y sus requisitos legales y otros requisitos asociados, y considerando sus riesgos y oportunidades.

Aplicación en el Sistema de Gestión de Servicios en Tecnologías de Información (SGS) ISO 20000:

La norma ISO 20000[48] en su nueva versión se ha configurado de acuerdo con la estructura de alto nivel, y los requerimientos sobre la identificación de riesgos y oportunidades comienzan en el capítulo 6. Para gestionar los riesgos se debería realizar lo que se indicó en la sección de ISO 9001, esto es, remitirse a un análisis a nivel estratégico considerando los elementos del contexto y partes interesadas con el enfoque de servicio a las Tecnologías de información[49]:

6.1 Acciones para tratar riesgos y oportunidades
6.1.1 Al planificar el SGS, la organización debe considerar las cuestiones referidas en el apartado 4.1 [Conocimiento de la organización/contexto de la organización] y los requisitos referidos en el apartado 4.2 [Comprensión de las necesidades y expectativas de las partes interesadas], y *determinar los riesgos y oportunidades* con el fin de:

a) asegurar que el SGS pueda lograr sus resultados previstos;
b) prevenir o reducir efectos no deseados;
c) lograr la mejora continua del SGS y los servicios

Particular mención sobre el requisito inmediato anterior, si se considera la determinación de riesgos asociados a los servicios que se ofrecen.

6.1.2 La organización debe determinar y planificar:
    a) los riesgos relacionados con:
        1. La organización
        2. El no cumplimiento de requisitos del servicio,
        3. La involucración de otras partes interesadas.
    b) El impacto de los riesgos en el cliente y las oportunidades para el SGC y los servicios,
    c) Los criterios de aceptación de los riesgos,
    d) La aproximación a seguir para la gestión de los riesgos

En la siguiente cláusula se requiere gestionar los riesgos y oportunidades de la misma manera que lo solicita la norma ISO 9001 en la cláusula 4.4 inciso f).

6.1.3 La organización debe planificar:
    a) Las acciones para *tratar estos riesgos y oportunidades* y sus prioridades;
    b) La manera de:
        1) integrar e implementar las acciones en los procesos del SGS;
        2) evaluar la eficacia de estas acciones.

---

[48] UNE ISO/IEC 20000-1. (2018). Tecnologías de información – Gestión del Servicio. Parte 1: Requisitos del Sistema de gestión de servicios. España UNE.
[49] ISO 9001 (2018) Sistema de gestión de la calidad, Requisitos... pp 17-18

Aplicación en el Sistema de Gestión para Organizaciones Educativas (SGOE) ISO 21001

Al igual que las anteriores normas, el concepto de riesgo está asociado a la *incertidumbre*, en este caso, a la consecución de los objetivos de la organización educativa, así como prevenir o reducir los efectos indeseados que en su conjunto lleven a la organización hacia la mejora continua.

Esta norma ISO 21001 tiene una estructura muy similar a la norma ISO 9001, por lo que prácticamente se debe dar el mismo enfoque en la manera de gestionar los riesgos en las organizaciones educativas como se ha mencionado en la sección correspondiente.

Se comienza con el requerimiento de determinar los riesgos y oportunidades para los procesos que conforman el SGOE:

4.4 Sistema de gestión de la calidad y sus procesos
La organización debe determinar los procesos necesarios para el sistema de gestión de la calidad y su aplicación a través de la organización, y debe determinar:

f)   **los riesgos y oportunidades** de acuerdo con los requisitos del apartado 6.1,

Algunos de los procesos de las organizaciones educativas en donde se debería analizar y evaluar los riesgos:

1. Enseñanza-aprendizaje,
2. Diseño de planes de estudio,
3. Desarrollo de competencias docentes,
4. Inscripción,
5. Investigación,
6. Titulación o certificación,
7. Entre otros.

Ya en el capítulo 6, se solicita la determinación de riesgos, así como definir sus tratamientos correspondientes:

6.1 Acciones para abordar riesgos y oportunidades
6.1.1 Al planificar el SGOE, la organización debe considerar las cuestiones referidas en el apartado 4.1 y los requisitos referidos en los apartados 4.2 y 4.4 y determinar los riesgos y oportunidades que es necesario abordar con el fin de:

a)   asegurar que el SGOE pueda lograr los resultados previstos;
b)   aumentar los efectos deseables;
c)   prevenir, mitigar o reducir los efectos no deseados;
d)   lograr la mejora continua.

6.1.2 La organización debe planificar:
- a) acciones para abordar estos riesgos y oportunidades;
- b) la manera de:
  - integrar e implementar las acciones en sus procesos SGOE
  - evaluar la eficacia de estas acciones.

Las acciones tomadas para abordar los riesgos y oportunidades deben ser proporcionales a la probabilidad de que ocurran y al impacto potencial en la conformidad de los productos y servicios

Además, como en ISO 9001, se deberá remitirse a las cláusulas del contexto y de las partes interesadas para determinar aquellos peligros que al materializarse puedan ser riesgos graves que impacten los objetivos del SGOE.

Aplicación en el Sistema de Gestión de la Inocuidad de los Alimentos ISO 22000[50]

El enfoque en este sistema se centra en la gestión de riesgos y oportunidades que están relacionados con los acontecimientos y sus consecuencias que se vinculan con el funcionamiento y la eficacia del sistema de gestión de la inocuidad de los alimentos, ya que un enfoque con aplicación a la gestión de riesgos de salud correspondería a las autoridades y diferentes instancias y organizaciones en su conjunto.

La siguiente cláusula (capítulo 6) da inicio al requerimiento particular para la gestión de los riesgos de inocuidad alimentaria y en donde se podrá visualizar la aplicación del proceso de evaluación de riesgos de la norma ISO 31000 aunque en menor escala:

6 Planificación
6.1 Acciones para abordar riesgos y oportunidades

6.1.1 Cuando se planifica el sistema de gestión de la inocuidad de los alimentos, la organización debe considerar las cuestiones referidas en el apartado 4.1 y los requisitos referidos en los apartados 4.2 y 4.3 y determinar el *riesgo y oportunidades* que tienen que ser dirigidas:

- a) Dar el aseguramiento que el sistema de gestión de la inocuidad de los alimentos puede alcanzar sus resultados previstos,
- b) aumentar los efectos deseables;
- c) prevenir o reducir efectos no deseados;
- d) alcanzar la mejora continua

6.1.2 La organización debe planificar:
- a) Las acciones para abordar estos riesgos y oportunidades;
- b) La manera de:

---

[50] ISO 22000 (2018). Sistemas de Gestión de Inocuidad Alimentaria. Suiza: Interntional Organization for Standarization.

1) Integrar e implementar las acciones en sus procesos del sistema de gestión de la inocuidad de los alimentos;
2) Evaluar la eficacia de estas acciones.

6.1.3 Las acciones tomadas para abordar los riesgos y oportunidades deben ser proporcionales a:
a) El impacto en los requisitos de la inocuidad alimentaria
b) La conformidad de productos alimenticios y servicios a clientes
c) Requisitos de las partes interesadas en la cadena de alimentos

Debido a la naturaleza de este sistema de gestión, la norma ISO 22000 incluye una serie de requerimientos particulares con relación a los peligros para la inocuidad alimentaria; para entenderlos la propia norma ISO 22000 proporciona una serie de términos que pueden facilitar la gestión de riesgos alimentarios, en este texto sólo se nombrarán algunos[51]:

a. Nivel aceptable [del riesgo]. El nivel de riesgo para la inocuidad de los alimentos no debe superarse en el producto final proporcionado por la organización.

b. Punto Crítico de Control (PCC). Paso en el proceso en el que se aplican las medidas de control para prevenir o reducir un riesgo significativo para la inocuidad de los alimentos a un nivel aceptable, y límites críticos definidos y medición que permite la aplicación de correcciones. [Y que no existe un punto de control más adelante en el proceso que garantice el control de los peligros.]

c. Peligro relacionado con la inocuidad de los alimentos. Agente biológico, químico o físico en alimentos con el potencial de causar un efecto adverso para la salud.

d. Peligro de inocuidad de los alimentos significativo. Peligro para la inocuidad de los alimentos, identificado a través de la evaluación de peligros, que debe controlarse mediante medidas de control.

e. Inocuidad de los alimentos. Garantía de que los alimentos no causarán un efecto adverso para la salud del consumidor cuando se prepare y / o consuma de acuerdo con su uso previsto

Recuerde el lector que previamente también se definieron los conceptos de peligros para la inocuidad alimentaria.

A partir de las siguientes cláusulas se observar un tratamiento muy particular a los peligros para la inocuidad alimentaria. Se podría decir que aquí se comienza con la aplicación de principios de la herramienta llamada Análisis de Peligros y Puntos de Críticos de Control (APCC) o bien por sus siglas en inglés HACCP[52]. También de lo relevante es que aquí se requerirá de un equipo de inocuidad que se encargue de su desarrollo:

---

[51] ISO 22000 (2018). Sistema de gestión para la inocuidad alimentaria…pp. 1- 9

[52] Los principios del HACCP son 7: 1. Enumerar los posibles peligros asociados con cada paso del proceso del producto, 2. Determinar los puntos críticos de control en el proceso, 3. Establecer límites críticos para cada punto crítico de control, 4. Establecer un sistema de monitoreo para cada punto crítico de control, 5. Establecer verificaciones para cada punto crítico de control, 6. Establecer verificaciones para cada punto crítico de control y 7. Establecer documentación y mantenimiento de registros

8.5.2 Análisis de peligros (ISO 22000)

8.5.2.1 Generalidades

El equipo de inocuidad de los alimentos realizará un análisis de peligros, basándose en la información preliminar, para determinar los peligros que deben ser controlados. El grado de control garantizará la inocuidad de los alimentos y, en su caso, se utilizará una combinación de medidas de control.

8.5.2.2 Identificación del peligro y determinación de los niveles aceptables

8.5.2.2.1 La organización debe identificar y documentar todos los peligros de inocuidad de los alimentos que se esperen razonablemente que ocurran en relación con el tipo de producto, el tipo de proceso y el entorno de trabajo.

La identificación deberá de basarse en:

a) La información preliminar y los datos obtenidos de acuerdo con el punto 8.5.1

b) Experiencia;

c) Información interna y externa que incluya, en la medida de lo posible, información epidemiológica, científica y otros datos históricos;

d) Información de la cadena alimentaria sobre los peligros para la inocuidad de los alimentos relacionados con la inocuidad de los productos finales, los productos intermedios y los alimentos en el momento del consumo:

e) Requisitos legales, regulatorios y del cliente.

Los peligros deben considerarse con suficiente detalle para permitir la evaluación del peligro y la selección de medidas de control adecuadas.

La cláusula siguiente es una invitación a conocer de manera detallada los procesos definidos para la producción de alimentos:

8.5.2.2.2 La organización debe identificar el (los) paso (s) (por ejemplo, recepción de materia prima, procesamiento, distribución y entrega) en las cuales un peligro para la inocuidad de los alimentos pueda estar presente, introducirse, aumentar o persistir.

Al identificar los peligros, la organización deberá considerar:

a) Las etapas anteriores y siguientes en la cadena alimentaria;

b) Todos los pasos en el diagrama de flujo;

c) El equipo de proceso, utilidades / servicio, procesos ambientales y personas.

Es importante considerar diferentes documentos que sirven de soporte para determinar el nivel aceptable de los peligros de inocuidad alimentaria en el producto final: algunos de ellos en adición a lo comentado en la norma ISO 22000, pueden ser normas oficiales mexicana (NOM's) como por ejemplo la NOM-251-SSA1-2009, Prácticas de higiene para el proceso de alimentos, bebidas o suplementos alimenticios, CODEX alimenticio o el Código CFR 21 (de la Federal Drug Adminsitation -USA), entre otros:

8.5.2.2.3 La organización debe determinar el nivel aceptable en el producto final de cada peligro para la inocuidad de los alimentos identificado, siempre que sea posible.

Al determinar niveles aceptables, la organización deberá:

a) Garantizar que se identifiquen los requisitos legales, estatutarios y de cliente aplicables;
b) Considerar el uso previsto de los productos finales;
c) Considerar cualquier otra información relevante.

La organización deberá mantener información documentada sobre la determinación y justificación de los niveles aceptables.

La siguiente cláusula establece la necesidad de hacer una evaluación del peligro, y en la sección de matrices de riesgos (capítulo 7) se presenta una alternativa al respecto:

8.5.2.3 Evaluación del peligro
La organización debe realizar, para cada peligro identificado para la inocuidad de los alimentos, una evaluación de riesgos para determinar si su prevención o reducción a un nivel aceptable es esencial.

La organización deberá evaluar cada peligro para la inocuidad de los alimentos con respecto a:

a) La probabilidad de su aparición en el producto final antes de la aplicación de las medidas de control;
b) La gravedad de sus efectos adversos para la salud en relación con el uso previsto (véase 8.5.1.4).

La organización debe identificar cualquier peligro significativo para la inocuidad de los alimentos.

Se describirá la metodología utilizada y se mantendrá el resultado de la evaluación del peligro según la información documentada.

En la cláusula siguiente podemos observar como la norma ISO 22000, establece ciertos requerimientos para el tratamiento de los riesgos:

8.5.2.4 Selección y categorización de las medidas de control
8.5.2.4.1 Con base en la evaluación de peligros, la organización debe seleccionar un control apropiado o combinación de medidas de control que serán capaces de prevenir o reducir los peligros significativos para la seguridad alimentaria a niveles aceptables definidos.

La organización debe clasificar las medidas de control identificadas seleccionadas para ser administradas como PPRO [53] o en los PCC.

---

[53] PPRO: significa Programa de pre-requisitos operativos

La categorización se llevará a cabo utilizando un enfoque sistemático. Para cada una de las medidas de control seleccionadas, se realizará una evaluación de lo siguiente:

a) La probabilidad de fallo de su funcionamiento;
b) La severidad de la consecuencia en caso de falla en su funcionamiento; esta evaluación deberá incluir:
   1. El efecto en los peligros significativos identificados para la inocuidad alimentaria;
   2. La ubicación en relación con otra (s) medida (s) de control;
   3. Si está específicamente establecido y aplicado para reducir los peligros a un nivel aceptable;
   4. Si es una medida única o es parte de la combinación de medidas de control.

8.5.2.4.2 Además, para cada medida de control, el enfoque sistemático deberá incluir una evaluación de la viabilidad de:

a) Establecer límites críticos medibles y / o criterios de acción medibles / observables;
b) Monitoreo para detectar cualquier falla para permanecer dentro del límite crítico y / o medible / observable de criterios de acción:
c) Aplicar correcciones oportunas en caso de fallo.

El proceso de toma de decisiones y los resultados de la selección y categorización de las medidas de control se mantendrá como información documentada.

Requisitos externos (por ejemplo, requisitos legales, estatutarios y del cliente) que pueden afectar la elección y el rigor de las medidas de control también se mantendrán como información documentada.

8.5.3 Validación de las medidas de control y combinación de medidas de control

Hay que recordar que el término validación implica una serie de pruebas en las condiciones de uso del producto, en el caso de la inocuidad alimentaria, la pruebas deberías validar que los controles por establecer efectivamente garantizan la inocuidad del alimento y por lo mismo que no habrá algún efecto nocivo en el consumidor.

El equipo de inocuidad de los alimentos deberá validar que las medidas de control seleccionadas sean capaces de lograr el control previsto de los riesgos significativos para la inocuidad de los alimentos. Esta validación se hará antes de la implementación de medidas de control y combinaciones de medidas de control que se incluirán en el plan de control de peligros (ver 8.5.4) y después de cualquier cambio en el mismo (ver 7.4.2, 7.4.3, 10.2 y 10.3).

Cuando el resultado de la validación muestre que las medidas de control no son capaces de lograr el control previsto, el equipo de inocuidad de los alimentos modificará y volverá a evaluar las medidas de control y / o combinación (es) de medida (s) de control.

El equipo de inocuidad de los alimentos mantendrá la metodología de validación y evidencia de la capacidad de las medidas de control para lograr el control previsto como información documentada.

A partir de las cláusulas siguientes se desarrolla, por así decirlo, la segunda parte de los principios HACCP:

8.5.4 Plan de control de peligros (HACCP/PPRO)
8.5.4.1 Generalidades

La organización debe establecer, implementar y mantener un plan de control de riesgos. El plan de control de riesgos se mantendrá como información documentada e incluirá la siguiente información para cada medida de control en cada PCC o PPR operativo:

a) Peligro (s) para inocuidad de los alimentos que deben controlarse en el PCC o por el PPR operativo;
b) Límite (s) crítico (s) en el PCC o criterios de acción para PPR operativo;
c) Procedimiento (s) de monitoreo;
d) Corrección (es) que se realizarán si no se cumplen los criterios críticos o los criterios de acción;
e) Responsabilidades y autoridades;
f) Registros de seguimiento.

La determinación de los límites críticos es parte fundamental de HACCP, ya que estos límites se deberán monitorear a través de controles a lo largo de la producción para asegurar y evitar que los riesgos se materialicen.

8.5.4.2 Determinación de los límites críticos y criterio de acción.

Se deben especificar los límites críticos en los PCC y los criterios de acción para los PPR operativos. La razón para su determinación se mantendrá como información documentada.

Los límites críticos en los PCC serán medibles. La conformidad con los límites críticos garantizará que el nivel aceptable no se supera.

Los criterios de acción para los PPR operativos deben ser medibles u observables. La conformidad con los criterios de actuación deberá contribuir a la garantía de que no se supera el nivel aceptable.

8.5.4.3 Sistemas de monitoreo en los PCC y para los PPR operativos.

En cada PCC, se debe establecer un sistema de monitoreo para cada medida de control o combinación de medidas de control para detectar cualquier falla de permanencia dentro de los límites críticos. El sistema incluirá todas las mediciones programadas en relación con el (los) límite (s) crítico (s).

Para cada PPR operativo, se debe establecer un sistema de monitoreo para la medida de control o combinación de medidas de control para detectar el incumplimiento al cumplir con el criterio de acción.

Para cada PPR operativo, se debe establecer un sistema de monitoreo para la medida de control o combinación de medidas de control para detectar el incumplimiento de cumplir con el criterio de acción.

El sistema de monitoreo, en cada PCC y para cada PPR operativo, constará de información documentada, incluyendo:

a) Mediciones u observaciones que proporcionan resultados dentro de un marco de tiempo adecuado;
b) Métodos o dispositivos de monitoreo utilizados;
c) Métodos de calibración aplicables o, para PPR operativo, métodos equivalentes para la verificación de mediciones u observaciones (ver 8.7);
d) Frecuencia de monitoreo;
e) Seguimiento de resultados;
f) Responsabilidad y autoridad relacionada con el monitoreo;
g) Responsabilidad y autoridad relacionada con la evaluación de los resultados del seguimiento.

En cada PCC, el método de monitoreo y la frecuencia deben ser capaces de detectar por completo cualquier falla en permanecer dentro de los límites críticos, para permitir el aislamiento y la evaluación oportunos del producto (ver 8.9.4).

Para cada PPR operativo, el método y la frecuencia de monitoreo deben ser proporcionales a la condición de falla y la severidad de las consecuencias.

Cuando el monitoreo de un PPR operativo se basa en datos subjetivos de observaciones (por ejemplo, inspección visual), el método deberá ser apoyado por instrucciones o especificaciones.

Interesante cómo la norma ISO 22000, define una serie de requisitos cuando no se cumplen con los criterios establecidos para cada punto crítico de control:

8.5.4.4 Acciones cuando no se cumplen los criterios críticos o los criterios de acción.

La organización debe especificar las correcciones (ver 8.9.2) y las acciones correctivas (ver 8.9.3) que deben tomarse cuando no se cumplen los límites críticos o el criterio de acción y se debe garantizar que:

a) Los productos potencialmente no inocuos no se liberan (ver 8.9.4);
b) Se identifica la causa de la no conformidad;
c) El (los) parámetro (s) controlado (s) en el PCC o por el PPR operativo son devueltos dentro de los límites críticos o criterios de acción;
d) Se previene la recurrencia.

La organización debe hacer correcciones de acuerdo con el punto 8.9.2 y acciones correctivas de acuerdo con el punto 8.9.3.

La gestión de riesgos no puede quedar acéfala sin la implantación del plan de control peligros, se requiere llevar el plan a la práctica y evaluar o reevaluar a intervalos planificados.

8.5.4.5 Implementación del plan de control de peligros.

La organización implementará y mantendrá el plan de control de peligros, y conservará evidencia de la implementación como información documentada.

Debido a que, en muchas de las veces, la implantación del plan de control de peligros conlleva cambios en el proceso o en algunos de sus componentes, entonces, se hace necesario considerar la actualización correspondiente.

8.6 Actualización de la información específica de los programas de prerrequisitos y el plan de control de peligros

Tras el establecimiento del plan de control de peligros, la organización debe actualizar la siguiente información, si es necesario:

a) Características de los materiales crudos, ingredientes y materiales en contacto con el producto;
b) Características de los productos finales;
c) Uso previsto;
d) Diagramas de flujo, descripciones de procesos y entorno de los procesos.

La organización debe asegurarse de que el plan de control de riesgos y / o los PRP estén actualizados.

Aplicación en el Sistema de Gestión de la Seguridad de la Información (SGSI) ISO 27001[54]

Este sistema de gestión en sus requisitos presenta ligeras diferencias, la primera la encontramos en el capítulo siguiente, porque requiere que, desde la misma creación del sistema, se oriente a gestionar sus riesgos:

4 Sistema de gestión de seguridad de la información
4.1 Requerimientos generales
La organización debe establecer, implementar, operar, monitorear, mantener y mejorar continuamente un SGSI documentado dentro del contexto de las actividades comerciales generales de la organización y los riesgos que enfrentan.

Aunque las cláusulas siguientes tienen como objetivo principal establecer las bases para la creación del sistema de seguridad de la información, a la par establecen ciertos requerimientos para la gestión de riesgos particulares. Y como se podrá observar también

---

[54] ISO/IEC 27001. (2015). Tecnología de la información. Técnicas de seguridad. Sistemas de Gestión de la Seguridad de la Información. Suiza: International Organization of Standardization

4.2 Establecer y manejar el SGSI
4.2.1 Establecer el SGSI

La organización debe hacer lo siguiente:
a) Definir el alcance y los límites del SGSI en términos de las características del negocio, la organización, su ubicación, activos, tecnología e incluyendo los detalles de y la justificación de cualquier exclusión del alcance.
b) Definir *una política SGSI* en términos de las características del negocio, la organización, su ubicación, activos y tecnología que:
   1) incluya un marco referencial para establecer sus objetivos y establezca un sentido de dirección general y principios para la acción con relación a la seguridad de la información;
   2) tome en cuenta los requerimientos comerciales y legales o reguladores, y las obligaciones de la seguridad contractual;
   3) esté *alineada con el contexto de la gestión del riesgo estratégico de la organización* en el cual se dará el establecimiento y mantenimiento del SGSI;
   4) establezca el criterio con el que se evaluará el *riesgo*;
   5) haya sido aprobada por la gerencia.

Y lo que se comentó en la norma ISO 31000, en términos de definir los criterios para los riesgos, se observa en la siguiente cláusula:

c) Definir el enfoque de valuación [evaluación] del riesgo de la organización:
   1) Identificar una metodología de cálculo del riesgo adecuado para el SGSI y los requerimientos identificados de seguridad, legales y reguladores de la información comercial.
   2) Desarrollar los criterios para aceptar los riesgos e identificar los niveles de riesgo aceptables (ver 5.1f).

La metodología de estimación del riesgo seleccionada debe asegurar que los cálculos del riesgo produzcan resultados comparables y reproducibles[55].

En las cláusulas siguiente se puede observar el proceso de *evaluación del riesgo* que se define en la norma ISO 31000 capítulo 6, explicado anteriormente con las particularidades correspondientes:

d) Identificar los riesgos [peligros]
   1) Identificar los activos dentro del alcance del SGSI y los propietarios de estos activos.
   2) Identificar las amenazas para aquellos activos.
   3) Identificar las vulnerabilidades que podrían ser explotadas por las amenazas.
   4) Identificar los impactos que pueden tener las pérdidas de confiabilidad, integridad y disponibilidad sobre los activos.

e) Analizar [el peligro] y evaluar el riesgo

---

[55] La propia norma ISO 27001 incorpora una nota para orientar al uso de una norma complementaria para evaluar los riesgos: Existen diferentes metodologías para el cálculo del riesgo. Los ejemplos de las metodologías de cálculo del riesgo se discuten en ISO/IEC TR 13335-3, Tecnología de información – Lineamiento para la gestión de la Seguridad TI – Técnicas para la gestión de la Seguridad TI

1) Calcular el impacto comercial sobre la organización que podría resultar de una falla en la seguridad, tomando en cuenta las consecuencias de una pérdida de confidencialidad, integridad o disponibilidad de los activos.
2) Calcular la probabilidad realista de que ocurra dicha falla a la luz de las amenazas y vulnerabilidades prevalecientes, los impactos asociados con estos activos y los controles implementados actualmente.
3) Calcular los niveles de riesgo.
4) Determinar si el riesgo es aceptable o requiere tratamiento utilizando el criterio de aceptación del riesgo establecido en 4.2.1 (c) (2).

f) Identificar y evaluar las opciones para el tratamiento de los riesgos.
   Las acciones posibles incluyen:
   1) aplicar los controles apropiados;
   2) aceptar los riesgos consciente y objetivamente, siempre que satisfagan claramente las políticas y el criterio de aceptación del riesgo (ver 4.2.1 c) de la organización;
   3) evitar los riesgos; y
   4) transferir los riesgos comerciales asociados a otras entidades; por ejemplo: aseguradoras, proveedores.

g) Seleccionar objetivos de control y controles para el tratamiento de riesgos.
   Se deben seleccionar e implementar los objetivos de control y controles para cumplir con los requerimientos identificados por el proceso de tasación del riesgo y tratamiento del riesgo. Esta selección debe tomar en cuenta el criterio para aceptar los riesgos, así como los requerimientos legales, reguladores y contractuales.

h) Obtener la aprobación de la gerencia para los riesgos residuales propuestos.

i) Obtener la autorización de la gerencia para implementar y operar el SGSI.

La siguiente es una cláusula particular de este sistema de gestión de la seguridad de la información:

j) Preparar un Enunciado de Aplicabilidad
   Se debe preparar un Enunciado de Aplicabilidad que incluya lo siguiente:
   1) los objetivos de control y los controles seleccionados en 4.2.1 (g) y las razones para su selección;
   2) los objetivos de control y controles implementados actualmente, y
   3) la exclusión de cualquier objetivo de control en el Anexo A y la justificación para su exclusión.

Algunas de las cláusulas anteriores del capítulo 4 de la norma ISO 27001, a título personal, parecen repetitivas con las cláusulas del capítulo 6, quizá la diferencia principal es que complementan los requisitos; igualmente se puede ver la aplicación del proceso básico de evaluación de riesgos de la ISO 31000.

Del siguiente requisito se puede considerar lo explicado en lo referente a la norma ISO 9001:

6 Planificación
6.1 Acciones para abordar los riesgos y las oportunidades
6.1.1 General

Al planificar el sistema de gestión de la seguridad de la información, la organización debe considerar los asuntos tratados en 4.1 y los requisitos tratados en 4.2 y determinar los riesgos y oportunidades que necesitan ser cubiertos para:

    a. asegurar que el sistema de gestión de la seguridad de la información pueda lograr su(s) resultado(s) esperado(s);
    b. evitar o disminuir efectos no deseados; y
    c. lograr una mejora continua.

La organización debe planificar:
    d. acciones para abordar estos riesgos y oportunidades; y
    e. cómo
       1. integrar e implementar las acciones en los procesos del sistema de gestión de la seguridad de la información; y
       2. evaluar la eficacia de estas acciones.

La cláusula siguiente está totalmente alineada a la norma ISO 31000 en cuanto al proceso de evaluación del riesgo (identificación, análisis y evaluación) ser refiere:

6.1.2 Evaluación de riesgo de la seguridad de la información

La organización debe definir y aplicar un proceso de evaluación de riesgo de la seguridad de la información que:

a. establezca y mantenga los criterios de riesgo de la seguridad de la información que incluya:
    1. Los criterios de aceptación del riesgo; y
    2. Los criterios para realizar las evaluaciones de riesgo de la seguridad de la información;
b. asegure que las evaluaciones de riesgo de la seguridad de la información producen resultados consistentes, válidos y comparables, una y otra vez;

c. *identifica* los riesgos de la seguridad de la información:
    1. aplica el proceso de evaluación del riesgo de la seguridad de la información para identificar los riesgos asociados a la pérdida de la confidencialidad, integridad y disponibilidad para la información dentro del alcance del sistema de gestión de la seguridad de la información; e
    2. identifica los propietarios del riesgo;

d. *analiza* los riesgos de la seguridad de la información:
    1. evalúa las posibles consecuencias que podrían resultar si los riesgos identificados en 6.1.2 e) 1) se hicieran realidad;
    2. evalúa la probabilidad realista de la ocurrencia de los riesgos identificados en 6.1.2 c) 1); y
    3. determina los niveles de riesgo;

e. *evalúa* los riesgos de la seguridad de la información:

    1. compara los resultados del análisis de riesgo con los criterios de riesgo definidos en 6.1.2 a); y
    2. prioriza los riesgos analizados para el tratamiento de riesgo.

La organización debe conservar la información documentada acerca del proceso de evaluación de riesgo de la seguridad de la información.

Lo interesante de la norma ISO 27001 es que contiene un anexo que sirve como referencia para el establecimiento de objetivos de control y sus controles solicitados en la cláusula 4.2.1 inciso g a la j, en los siguientes rubros[56]:

a. Políticas de seguridad de la información,
    Orientación de la dirección para la seguridad de la información
b. Organización de la seguridad de información,
    Organización interna,
    Dispositivos móviles y trabajo remoto,
c. Seguridad ligada a recursos humanos,
    Previo al empleo
    Durante el empleo
    Desvinculación y cambio de empleo
d. Administración de activos,
    Responsabilidad por los activos
    Clasificación de información
    Manejo de los medios
e. Control de acceso,
    Requerimientos de negocio para el control de acceso
    Gestión del acceso del usuario
    Responsabilidades del usuario
    Control de Acceso al sistema y aplicaciones
f. Criptografía
    Controles criptográficos
g. Seguridad física y del ambiente
    Áreas seguras
    Equipamiento
h. Seguridad de las operaciones
    Procedimientos operacionales y responsabilidades
    Protección contra código malicioso
    Respaldo
    Registro y monitoreo
    Control del software de operación
    Gestión de la vulnerabilidad técnica
    Consideraciones de la auditoría de los sistemas de información
i. Seguridad de las comunicaciones

---

[56] Nch ISO 27001 (2013). Tecnologías de la Información. Sistema de gestión para la seguridad de la información... pp. 13 – 27.

Gestión de la seguridad de la red
Transferencia de la información
j. Adquisición, desarrollo y mantenimiento del sistema
Requisitos de seguridad en los sistemas de información
Seguridad en procesos de desarrollo y soporte
Datos de prueba
k. Relaciones con el proveedor
Seguridad de la información en las relaciones con el proveedor
Gestión de entrega en el servicio del proveedor
l. Gestión de incidentes de seguridad de la información
Gestión de incidentes de seguridad de la información y mejoras
m. Aspectos de seguridad de la información en la gestión de la continuidad del negocio
Continuidad de la seguridad de la información
Redundancias
n. Cumplimiento
Cumplimiento con los requisitos legales y contractuales
Revisiones de seguridad de la información

En adición, conviene comentar que existe la norma ISO/IEC 27005 (2011). Tecnologías de Información. Técnicas de Seguridad. Administración de riesgos en Seguridad de la información, en donde podrá el lector encontrar más información para mejorar la gestión de riesgos en esta disciplina, aquí solo se incorpora un texto conveniente sobre los criterios de evaluación y aceptación del riesgo para la aplicación de la ISO 27001[57]:

7.2.2 Criterio de evaluación del riesgo
El criterio de evaluación del riesgo debe ser desarrollado para evaluar el riesgo de la seguridad en la información de la organización considerando lo siguiente:
* El valor estratégico del proceso de la información en la empresa
* La criticidad de los activos de la información involucrados
* Requisitos legales y regulatorios, y obligaciones contractuales
* La importancia operacional y empresarial de la disponibilidad, confidencialidad e integridad de la información
* Las percepciones y expectativas de las partes interesadas, y las consecuencias negativas para el fondo y la reputación

Adicionalmente, el criterio de evaluación del riesgo puede ser usado para especificar prioridades para el tratamiento del riesgo.

7.2.4 Criterio de aceptación del riesgo
El criterio de aceptación del riesgo debe ser desarrollado y especificado. El criterio de aceptación del riesgo a menudo depende de las políticas de la organización, metas, objetivos e intereses de las partes interesadas.

Una organización debe definir sus propias escalas para los niveles de aceptación del riesgo. Lo siguiente debe de ser considerado durante el desarrollo:

---

[57] ISO/IEC 27005 (2011). Tecnologías de Información. Técnicas de Seguridad. Administración de riesgos en Seguridad de la información. Pp 10-11

- El criterio de aceptación del riesgo puede incluir múltiples límites, con un objetivo deseado del nivel del riesgo, así como disposición para que los gerentes acepten riesgos este nivel bajo circunstancias definidas.
- El criterio de aceptación del riesgo puede ser expresado como la razón de la ganancia estimada (u otro beneficio en la empresa) para el riesgo estimado.
- Diferentes criterios de aceptación del riesgo pueden aplicarse a diferentes clases de riesgo, por ejemplo, riesgos que podrían resultar en una no conformidad con regulaciones o leyes que no pueden ser aceptadas, mientras que la aceptación de riesgos altos, pueden ser permitidos si esto se específica como un requisito contractual.
- El criterio de aceptación del riesgo puede incluir requisitos para tratamientos futuros adicionales, por ejemplo, un riesgo puede ser aceptado si hay una aprobación y encomienda de emprender acción para reducirlo a un nivel aceptable dentro de un periodo definido de tiempo.

El criterio de aceptación puede diferir en función del tiempo se espera que el riesgo exista, por ejemplo, el riesgo puede ser asociado con una actividad temporal o a corto plazo. El criterio de aceptación del riesgo puede ser implementado considerando lo siguiente:

- Criterio comercial
- Aspectos legales y regulatorios
- Operaciones
- Tecnología
- Financiación
- Factores sociales y humanitarios

Aplicación en el Sistema de Administración en Seguridad y Salud en el Trabajo ISO 45001[58]

Existe una nueva norma dentro de la ISO aplicable para el Sistema de Seguridad y Salud en el Trabajo: ISO 45001 Sistemas de gestión en seguridad y salud en el trabajo. Con anterioridad a esta norma existía la norma OHSAS 18001 sólo que esta no estaba a cargo de ISO.

El enfoque de la gestión de riesgos en este sistema es hacia la determinación de riesgos que impactan a los objetivos de seguridad y salud en el trabajo, así como evitar los efectos indeseados que pueden generar lesiones o deterioro en la salud de los trabajadores, incumplimiento a los requerimientos legales, daños en la reputación e incluso daño a las instalaciones, aunque esto último no se menciona explícitamente en la norma ISO 45001, la definición de riesgo del Reglamento Federal de Seguridad y Salud en el Trabajo respecto del riesgo[59], lo complementa:

---

[58] ISO 45001. (2018). Sistemas de gestión de la seguridad y salud en el trabajo – Requisitos con orientación para su uso. International. Suiza: International Organization for Standarization.

[59] STPS (2014). Reglamento Federal de Seguridad y Salud en el Trabajo. Diario de la Federación. Jueves 13 de noviembre de 2014.p. 67.

Riesgo: La correlación de la peligrosidad de uno o varios factores y la exposición de los trabajadores con la posibilidad de causar efectos adversos para su vida, integridad física o salud, o dañar al Centro de Trabajo;

Los agentes que están asociados a los riesgos en el medio ambiente laboral son los siguientes (Galindo, 1998)[60]

- *Riesgo Físico*: Es todo estado energético agresivo que tiene lugar en el medio ambiente, por ejemplo: Temperaturas extremas, ruido, vibraciones, iluminación, radiaciones, presiones ambientales. Para cualquiera de estos contaminantes físicos puede existir una vía de entrada específica o genérica, ya que sus efectos son debidos a cambios energéticos que pueden actuar sobre órganos concretos.
- *Riesgo Mecánico*: el conjunto de factores físicos que pueden dar lugar a una lesión por la acción mecánica de elementos de máquinas, herramientas, piezas a trabajar o materiales proyectados, sólidos o fluidos, partes en movimiento no protegidas. Donde hay movimiento hay un riesgo mecánico.
- *Riesgo Biológico*: Son todos aquellos organismos vivos y sustancias derivadas de los mismos, presentes en el puesto de trabajo, que pueden ser susceptibles de provocar efectos negativos en la salud de los trabajadores. Estos efectos negativos se pueden concretar en procesos infecciosos, tóxicos o alérgicos. Asociado a micro y macroorganismos en el ambiente laboral
- *Riesgo Químico*: Sustancia natural o sintética, que, durante la fabricación, manejo, transporte, almacenamiento o uso, pueda contaminar el ambiente (en forma de polvo, humo, gas, vapor, neblinas y rocío) y producir efectos irritantes, corrosivos, explosivos, tóxicos e inflamables, con probabilidades de alterar la salud de las personas que entran en contacto con ellas.
- *Riesgo Psicosocial*: Son las situaciones que ocasionan insatisfacción laboral o fatiga y que influyen negativamente en el estado anímico de las personas, por ejemplo: hostigamiento, acoso, desmotivación, sobrecarga de trabajo, estrés.
- *Riesgo Ergonómico*: Es la falta de adecuación de la maquinaria y elementos de trabajo a las condiciones físicas del hombre, que pueden ocasionar fatiga muscular o enfermedad de trabajo, por ejemplo: Movilización de cargas excesivas, mal diseño de las áreas y herramientas de trabajo, deficientes posturas de trabajo

En adición, según la Dirección General de Relaciones Laborales de Cataluña se pudieran definir los siguientes tipos de riesgos laborales[61]:

o. Riesgos de Seguridad
p. Riesgos Higiénicos [de salud en el trabajo]
q. Riesgos Ergonómicos
r. Riesgos Psicosociales y

Ahora a partir de la norma ISO 45001, en el capítulo 6.1, se puede aplicar lo explicado anteriormente en el tratamiento de la norma ISO 9001. Y también se debería recordar que esta

---

[60] Galindo. A. (1998). Manual para Comisiones de Seguridad e Higiene. México: Secretaría del Trabajo y Previsión Social. pp. 27-31. Recuperado de: http://fm.uach.mx/servicios/2011/10/31/manual_a.pdf
[61] Dirección General de Relaciones Laborales de Cataluña. (2006)... p.12

norma es de la pocas que proporciona una definición de riesgo y oportunidad, previamente tratada en la sección correspondiente.

6. Planificación
6.1 Acciones para abordar riesgos y oportunidades

…

… determinar los riesgos y oportunidades que es necesario abordar con el fin de:

- asegurar que el sistema de gestión de la SST pueda lograr sus resultados previstos;
- prevenir o reducir los efectos no deseados;
- lograr la mejora continua.

Al abordar los "riesgos y oportunidades", la organización debe tener en cuenta los riesgos para la SST, las oportunidades para la SST y otros riesgos y oportunidades del sistema de gestión de la SST.

Al determinar los riesgos y oportunidades que es necesario abordar, la organización debe tener en cuenta:

- los peligros, los riesgos y las oportunidades;
- los requisitos legales y otros requisitos (véase 6.1.3)
- los riesgos (véase 6.1.2.2) y oportunidades (véase 6.1.2.3) relacionados con la operación del sistema de gestión de la SST que puedan afectar al logro de los resultados previstos.

La organización debe mantener información documentada de: sus riesgos para la SST y oportunidades para la SST; los proceso y acciones necesarias para identificar y abordar sus riesgos y oportunidades, en la medida en que sea necesario para tener la confianza de que se llevan a cabo según lo planificado.

En la sección ¿Cómo identificar los Peligros? de este libro se ha proporcionado una serie de elementos que favorecen la identificación de peligros en este campo de la seguridad y salud en el trabajo; de manera particular la norma ISO 45000 establece los siguientes requisitos al respecto:

6.1.2 Identificación de peligros y evaluación de los riesgos y las oportunidades
6.1.2.1 Identificación de peligros
La organización debe establecer, implementar y mantener uno o varios procesos para la identificación de los peligros que sea continua y proactiva. Los procesos deben tener en cuenta, pero no limitarse a ello:

a) incidentes pasados pertinentes, internos o externos a la organización, incluyendo emergencias, y sus causas
b) como se organiza el trabajo, factores sociales (incluyendo la carga de trabajo, horas de trabajo, victimización, acoso e intimidación), liderazgo y la cultura de la organización;

c) las actividades rutinarias y no rutinarias, las situaciones, incluyendo la consideración de:

   1) la infraestructura, los equipos, los materiales, las sustancias y las condiciones físicas del lugar de trabajo;

   2) el diseño, la investigación, desarrollo, pruebas, producción, montaje, construcción, prestación del servicio, mantenimiento o disposición general final del producto yd el servicio;

   3) los factores humanos;

   4) cómo se realiza el trabajo realmente;

d) las situaciones de emergencia;

e) las personas incluyendo:

   1) aquéllas con acceso al lugar de trabajo y sus actividades, incluyendo trabajadores, contratistas, visitantes y otras personas;

   2) aquellas en las inmediaciones del lugar de trabajo que pueden verse afectadas por las actividades de la organización;

   3) trabajadores en una ubicación que no está bajo el control directo de la organización;

f) otras cuestiones, incluyendo la consideración de:

   1) el diseño de las áreas de trabajo, los procesos, las instalaciones, la maquinaria/equipo, los procedimientos operativos y la organización del trabajo, incluyendo su adaptación a las necesidades y capacidades de los trabajadores involucrados;

   2) situaciones que ocurren en las inmediaciones del lugar de trabajo causadas por actividades relacionadas con el trabajo bajo el control de la organización;

   3) situaciones no controladas por la organización y que ocurren en las inmediaciones del lugar de trabajo que pueden causar daños y/o deterioro de la salud a personas en el lugar de trabajo;

g) cambios reales o propuestos en la organización, sus operaciones, procesos, actividades y sistema de gestión de la SST (véase 8.1.3);

h) cambios en el conocimiento de los peligros, y *en la información acerca de ellos.*

A partir de aquí se pueden aplicar las diferentes técnicas para la evaluación o apreciación del riesgo, algunas de ellas se comentan en el capítulo siguiente llamado Metodologías para la evaluación o apreciación del riesgo.

6.1.2.2 Evaluación de los riesgos para la SST y otros riesgos para el sistema de gestión de la SST

La organización debe establecer, implementar y mantener uno o varios procesos para:

   a) evaluar los riesgos para la SST a partir de los peligros identificados, teniendo en cuenta los requisitos legales y otros requisitos y la eficacia de los controles existentes;

   b) identificar y evaluar los riesgos relacionados con el establecimiento, implementación, operación y mantenimiento del sistema de gestión de la SST que pueden ocurrir a partir de las cuestiones identificadas en el apartado 4.1 y de las necesidades y expectativas en el apartado 4.2.

Las metodologías y criterios de la organización para la evaluación de riesgos para la SST deben definirse con respecto a su alcance, naturaleza y momento en el tiempo, para asegurarse de que son más proactivas que reactivas y deben utilizarse de un modo sistemático. Estas metodologías y criterios deben mantenerse y conservarse como información documentada.

En el siguiente requisito se está solicitando que, como consecuencia de la identificación de peligros y evaluación de riesgos, se puedan identificar las oportunidades, esas situaciones de las cuales se puede sacar una ventaja para obtener una mejora.

6.1.2.3 Identificación de las oportunidades para la SST y otras oportunidades

La organización debe establecer, implementar y mantener uno o varios procesos para evaluar:

a) las oportunidades de mejorar el desempeño de la SST teniendo en cuenta:
1) las oportunidades para adaptar el trabajo, la organización del trabajo y el ambiente de trabajo a los trabajadores;
2) las oportunidades de eliminar o reducir riesgos para la SST;
3) los cambios planificados en la organización, sus políticas, sus procesos o sus actividades;
b) las oportunidades de mejora del sistema de gestión de la SST.

NOTA Los riesgos y las oportunidades para la SST pueden dar como resultado riesgos y oportunidades para la organización.

Como es sabido, la carga legal tanto en un sistema de gestión ambiental como el sistema de seguridad y salud en el trabajo es grande, en este último hay normativa aplicable y relacionada a los riesgos laborales, por lo que es necesario, por un lado, identificar esos requisitos legales y por otro, relacionarlos a los diferentes peligros, riesgo incluso oportunidades correspondientes a sus actividades.

6.1.3 Determinación de los requisitos legales aplicables y otros requisitos:

La organización debe establecer, implementar un o varios procesos para:

a) determinar y tener acceso a los requisitos legales actualizados y otros requisitos que sean aplicables a sus peligros, sus riesgos para la SST y su sistema de gestión de la SST;
b) determinar cómo aplican esos requisitos legales y otros requisitos a la organización y qué es necesario comunicar;
c) tener en cuenta estos requisitos y otros requisitos al establecer, implementar, mantener y mejorar de manera continua su sistema de gestión de la SST.

La organización debe mantener y conservar información documentada sobre sus requisitos legales y otros requisitos y debe asegurarse de que se actualiza para reflejar cualquier cambio.

NOTA Los requisitos legales y otros requisitos pueden dar como resultado riesgos y oportunidades para la organización.

Y finalmente concretar por el tratamiento de los riesgos y oportunidades por medio de acciones concretas; considere en el plan de acción: las actividades correspondientes a realizar, las personas responsables de realizarlas, las fechas de cumplimiento o periodos de realización de dichas actividades, los recursos necesarios y si fuera necesario determinar cómo se va a medir el resultado del tratamiento de los riesgos.

6.1.4 Planificación de acciones
La organización debe planificar:

a) la toma de decisiones para abordar sus:
   1) riesgos y oportunidades
   2) requisitos legales y otros requisitos
   3) prepararse para las *situaciones de emergencia, y responderá a ellas.*

Algunos sistemas de gestión no se han analizado como son el de Dispositivos Médicos (ISO 13485), el de Seguridad de la Cadena de Suministro (ISO 28000), el de Antisoborno (ISO 37001), y el de Seguridad Vial ISO (39001), sin embargo, se pueden seguir las mismas recomendaciones que se han hecho en los sistemas de gestión mencionados en esta sección.

En realidad, al analizar los requerimientos sobre el tratamiento de riesgos y oportunidades en cada sistema de gestión, se ha constatado que todos ellos contemplan parte de los lineamientos de la norma ISO 31000.

No debemos olvidar que es importante no concentrarse solamente en el aspecto negativo del riesgo; aunque muchas técnicas no manejan *per se* una evaluación de las oportunidades, se pueden hacer adecuaciones de manera que se pueda visualizar el impacto positivo, el beneficio o ganancia de tales situaciones, y tener en cuenta que el lenguaje de la alta dirección es muy importante, por lo que un análisis de costo beneficio será una técnica de evaluar las oportunidades en diferentes campos y aplicaciones de sistemas de gestión. Incluso la pregunta clave para definir las oportunidades puede ser: ante esta situación de riesgo ¿a qué le podemos sacar ventaja? O ¿a que le podemos sacar provecho?

Aunque ya se ha mencionado que la aplicación de ISO 31000 no es un requisito obligatorio en los sistemas de gestión, se refuerza el comentario de que es necesario adoptar algunos lineamientos de ella que permitan tener una gestión mínima pero bien fortalecida y en la medida de lo posible conforme se avanza en la gestión de riesgos ir avanzando hacia una aplicación escalonada y en un momento determinado completamente alineada a la norma ISO 31000.

La guía IWA 31: 2015

Recientemente ha sido editada por ISO una guía que lleva por nombre Acuerdo de Trabajo Internacional (IWA por sus siglas en inglés) 31, Lineamientos para el uso de la ISO 31000 en sistemas de gestión y me parece relevante rescatar en este texto la figura siguiente que ilustra

Aplicación de la gestión de riesgos en los sistemas de gestión

como se vinculan las directrices ISO 31000 con la HLS de los sistemas de gestión. La fila superior hace referencia a las cláusulas HLS y la columna de la izquierda representa las cláusulas marco ISO 31000, de tal suerte que la zona sombreada indica la necesidad de establecer una acción o proceso para gestionar el riesgo al interior del sistema de gestión.

Tabla 3. Concordancia genérica entre la HLS de los sistemas de gestión ISO y la norma ISO 31000[62].

Cláusulas HLS[63] de Sistema de Gestión (SG) ISO →	Contexto	Liderazgo	Planeación	Soporte	Operación	Desempeño	Mejora
Directrices y marco de referencia de ISO 31000 ↓	ISO 31000:2018, 5.1 "El propósito del marco de referencia de la gestión del riesgo es asistir a la organización en integrar la gestión del riesgo en todas sus actividades y funciones significativas."						
4. Principios							
5.1 Generalidades							
5.2 Liderazgo y compromiso							
5.3 Integración							
5.4 Diseño							
5.5 Implementación							
5.6 Valoración							
5.7 Mejora							
6.1 Generalidades							
6.2 Comunicación y consulta							
6.3 Alcance, contexto y criterios							
6.4 Evaluación del riesgo							
6.5 Tratamiento del riesgo							
6.6 Seguimiento y revisión							
6.7 Registro e informe							

---

62 Tomada de la International Workshop Agreement (2020). Guidelines on using ISO 31000 in management systems, pp. 3.

63 HLS significa Estructura de Alto Nivel, que es la estructura para todos los estándares de sistemas de gestión emitidos por ISO.

Por otro lado, la tabla 4 ilustra de manera específica entre la ISO 31000 y la HLS de los sistemas de gestión ISO.

Tabla 4. Correspondencia entre ISO 31000 y la HLS para el Sistema de Gestión (SG) [64]

Cláusulas de la HLS para el Sistema de Gestión (SG)		Cláusulas de ISO 31000:2018		
		4. Principios	5. Marco de referencia	6. Proceso
4. Contexto de la organización	4.1 Comprensión de la organización y su contexto.	0, a), c), e), f), g)	5.2, 5.4.1	6.1, 6.3.1, 6.3.3, 6.3.4, 6.6, 6.7
	4.2 Comprensión de necesidades y expectativas de las partes interesadas.	0, a), c), d), e), f), g)	5.2, 5.4.1, 5.4.5	6.1, 6.2, 6.3.1, 6.3.3, 6.3.4, 6.6, 6.7
	4.3 Determinación del alcance del XXX Sistema de Gestión.	0, a), c), f)	5.1, 5.2, 5.4.1, 5.5	6.3.1, 6.3.3, 6.3.4
	4.4 XXX Sistema de Gestión.	0, a), b), c), f)	5.1, 5.2, 5.3, 5.4.1, 5.5	6.3.1, 6.3.3, 6.3.4
5. Liderazgo	5.1 Liderazgo y compromiso.	0, a), c), d), g)	5.1, 5.2, 5.4.2, 5.4.4	6.2, 6.6, 6.7
	5.2 Política	0, a), c), d), g)	5.2, 5.4.3	6.2, 6.6, 6.7
	5.3 Roles organizacionales, responsabilidades y autoridades.	a), c), d), g)	5.2, 5.4.3	-
6. Planeación	6.1 Acciones para abordar el riesgo y oportunidades.	0, a), b), e), f)	5.1, 5.4.2, 5.7.1	6.1, 6.4, 6.5
	6.2 XXX objetivos y planeación para alcanzarlos.	0, a), b)	5.4.2, 5.7.2	6.5
7. Soporte	7.1 Recursos	0, a), f), g)	5.1, 5.4.4	6.3.4, 6.5.2
	7.2 Competencia	0, a), f), g)	5.1	-

[64] International Workshop Agreement (2020). Guidelines on using ISO 31000 in management systems, pp. 4.

Aplicación de la gestión de riesgos en los sistemas de gestión

	7.3 Conciencia	0, a), f), g)	5.1	-
	7.4 Comunicación	0, a), d), f)	5.1, 5.4.5	6.1, 6.2, 6.3.4
	7.5 Información documentada	0, a), f)	5.1	6.1, 6.7
8. Operación	8.1 Planeación y control operacional	0, a), b), f)	5.1, 5.3, 5.5, 5.7	6.1, 6.4, 6.5, 6.6, 6.7
9. Evaluación de desempeño	9.1 Monitoreo, medición análisis y evaluación.	a)	5.6	6.1, 6.3.3, 6.3.4, 6.4.1, 6.6, 6.7
	9.2 Auditoría interna	a)	5.6	6.1, 6.3, 6.4.1, 6.6, 6.7
	9.3 Revisión de gestión.	0, a), b), e), g)	5.6, 5.7	6.1, 6.3, 6.4.1, 6.6, 6.7
10. Mejora	10.1 No conformidades y acciones correctivas.	0, a), h)	5.7	6.1, 6.4, 6.5, 6.6
	10.2 Mejora continua	0, a), h)	5.1, 5.2, 5.7	6.1, 6.4, 6.5, 6.6

Nota: Los números de subcláusulas en las celdas se refieren a la ISO 31000:2018 de acuerdo con el encabezado de columna correspondiente.

International Workshop Agreement (2020). Guidelines on using ISO 31000 in management systems (pp. 4).

De manera que cada organización podrá considerar estas dos tablas para crear sus procesos particulares de acuerdo con los requisitos involucrados de sus sistemas de gestión y acorde a sus necesidades particulares.

7. Metodologías para la evaluación-estimación del riesgo

ISO 31010: 2019

La norma ISO/IEC 31010 fue emitida por primera vez en el año de 2009, y en el año de 2019, se editó una nueva versión; esta norma contiene una gama muy amplia de técnicas o metodologías para la identificación de peligros, análisis y estimación de Riesgos. El título de la norma es *ISO/IEC 31010 Gestión del riesgo. Técnicas de evaluación* [apreciación] *del riesgo.*

Las metodologías que contiene la ISO/IEC 31010 se pueden clasificar en cualitativas, semicuantitativas y cuantitativas, y a continuación se enlistan las técnicas que se mencionan en ella[65]:

Tabla 5. Herramientas y técnicas para la apreciación del riesgo.
1. ALARP (tan bajo como sea razonablemente factible en español) / SFAIRP (en la medida de lo razonablemente posible en español)
2. Análisis Bayesiano
3. Redes Bayesianas / Diagramas de Influencia
4. Análisis de pajarita
5. Lluvia de ideas
6. Análisis de Impacto de Negocios
7. Análisis causa - consecuencia
8. Clasificaciones de listas de verificación, taxonomías
9. Enfoque Cindínico
10. Valor Condicional en Riesgo (CVaR)
11. Matriz de consecuencia / probabilidad
12. Análisis costo / beneficio
13. Análisis de impacto cruzado
14. Análisis de árbol de decisión
15. Análisis de árbol de eventos (ETA)
16. Análisis de árbol de fallas (FTA)
17. Análisis de modos de fallas y efectos y criticidad (FME(C)A)
18. Análisis de frecuencia / número (F / N)
19. Teoría de juegos
20. Análisis de Peligros y Control de Puntos Críticos (HACCP)

[65] Norma 31010 – Edición en francés e inglés. (2019)... pp. 32 - 36

Continuación…Tabla 5. Herramientas y técnicas para la apreciación del riesgo
21. Análisis de Operabilidad y Peligros (HAZOP)
22. Análisis de Confiabilidad Humana (HRA)
23. Análisis de Ishikawa
24. Análisis de niveles de protección (LOPA)
25. Análisis de Markov
26. Análisis de Monte Carlo
27. Análisis Multi-Criterio (MCA)
28. Técnica de grupo nominal
29. Diagrama de Pareto
30. Análisis de Impacto de Privacidad/ Análisis de Impacto de Protección de Datos (PIA/ DPIA)
31. Mantenimiento Centrado en la Confiabilidad (RCM)
32. Índices de riesgos
33. Registros de riesgos
34. Curvas – S
35. Análisis de escenario
36. Encuestas
37. Estructurado ("¿y si…")
38. Evaluación de riesgos toxicológica
39. Valor en Riesgo (VaR)

Tabla tomada de ISO 31010: 2019, página 38

La norma ISO/IEC 31000 proporciona una excelente pauta a seguir para la aplicación de estas técnicas en el proceso de evaluación de riesgos de la norma ISO 31000:

Tabla 6. Técnicas vs proceso de evaluación del riesgo (ISO 31000)	
Técnicas para la apreciación o evaluación del riesgo clasificadas	Etapa del proceso de evaluación de riesgos (ISO 31000) a aplicar
Visualización general	
B.1 Técnicas para visualizar Lluvia o tormenta de ideas Técnica Delphi Técnica grupal nominal Entrevistas Encuestas	Alcance, contexto y criterio Identificación del riesgo (peligro) Evaluación del riesgo

Continuación de Tabla 6...Técnicas vs proceso de evaluación del riesgo (ISO 31000)	
Técnicas para la apreciación o evaluación del riesgo clasificadas	Etapa del proceso de evaluación de riesgos (ISO 31000) a aplicar
Identificación del Riesgo	
B.2 Técnicas para identificar el riesgo (peligro) Listas de Verificación AMEF HAZOP Análisis de escenarios ¿Qué pasa si...?	Identificación del riesgo (peligro) Análisis del Riesgo
B.3 Determinar fuentes, causas e impulsores de riesgos Enfoque Cindínico Método Ishikawa (diagrama de causa y efecto o espina de pescado) Análisis causa raíz.	Identificación del riesgo (peligro) Análisis del Riesgo
Análisis del Riesgo	
B.4 Técnicas para el análisis de controles Análisis de pajarita HACCP LOPA	Identificación del riesgo (peligro) Análisis del Riesgo Tratamiento del riesgo
B.5 Técnicas para entender la consecuencia y *probabilidad* (frecuencia de ocurrencia) Análisis Bayesiano Redes Bayesianas Análisis de Impacto de Negocio Análisis del árbol de eventos Análisis del árbol de fallas Análisis de causas-consecuencias Análisis Markov Simulación Monte Carlo	Análisis del Riesgo
B.6 Técnicas para el análisis de dependencias e interacciones Mapeo causal Análisis de impacto cruzado	Análisis del Riesgo
B.7 Técnicas que proveen una medición del riesgo Evaluación del riesgo toxicológico Análisis de impacto de protección de datos Valor del riesgo (VaR) [financiero] Valor condicional en riesgo (CVaR)	Análisis del Riesgo
Evaluación del riesgo	
B.8 Técnicas para evaluar la significancia del riesgo ALARP/SFAIRP Diagrama (F-N) de número de frecuencia Diagrama de Pareto Mantenimiento centrado en confiabilidad Índices de riesgo	Evaluación del riesgo Tratamiento del riesgo

Continuación... Tabla 6 de técnicas vs proceso de evaluación del riesgo (ISO 31000)	
Técnicas para la apreciación o evaluación del riesgo clasificadas	Etapa del proceso de evaluación de riesgos (ISO 31000) a aplicar
Evaluación del riesgo	
B.9 Técnicas para seleccionar opciones Análisis de costo beneficio Análisis del árbol de decisiones Teoría de juegos Análisis multicriterio	Evaluación del riesgo
Reporte y registro	
B.10 Técnicas para registrar y reportar Registro de riesgos Matriz de consecuencia-probabilidad Curva S Análisis pajarita	Reporte y registro

Tabla de creación propia a partir de la información de la norma ISO31000

A continuación, se presenta el análisis de algunas metodologías básicas genéricas que de acuerdo con la experiencia del que escribe, se recomiendan para una gestión exitosa de los riesgos requerida por los sistemas de gestión. Las metodologías que no se mencionan tiene aplicación muy específica por lo que, el lector dependiendo de su necesidad, deberá seleccionar.

Tan bajo como sea razonablemente práctico (en español) (As low as reasonably practicable- ALARP)

ALRP en realidad es un principio que sirve principalmente como un gran criterio para definir la aceptación o no del riesgo y partir de ahí definir el tratamiento correspondiente. Su significado corresponde al acrónimo por sus siglas en inglés: As Low As Reasonably Practicable, en español, su traducción sería Tan Bajo Como Sea Razonablemente Práctico.

El principio ALARP define tres regiones de riesgo relacionadas con la probabilidad y las consecuencias de un incidente como se muestra en la figura siguiente[66], y la idea es llevar al riesgo siempre a su valor mínimo definiendo las acciones de tratamiento que así lo proyecten. Aunque como ya se ha explicado, en algunas ocasiones dependiendo del riesgo inherente, será difícil bajarlo de valor.

De acuerdo con la Guía técnica para realizar análisis de riesgos de Pemex (2012)[67]:

El principio ALARP surge del hecho de que sería posible emplear una gran cantidad de tiempo, dinero y esfuerzo al tratar de reducir los niveles de riesgo a un valor de cero, lo cual en la práctica no es costeable ni posible.

[66] Galindo. X. (2012). Sistemas Instrumentados de Seguridad. Junio 2012. Universitat Rovira Virgili. Pp.27-29
[67] Pemex. (2012). Guías técnicas para realizar análisis de riesgos de proceso... p. 95 -96

Entonces el principio, más que una regla, se debe tomar como una reflexión para decir la mejor opción en cuanto al tratamiento del riesgo buscando un balance entre el costo y el beneficio que arrojarían las acciones a la organización e incluso a la sociedad.

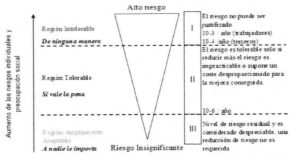

Figura 7. Tomada de Sistemas Instrumentados de Seguridad, Galindo (2012)

La norma ISO 31010 define una serie de fortalezas y limitaciones en la aplicación de este principio[68]:

Fortalezas:
- Fijar un estándar común de cuidado, basado en una jurisprudencia y legislación, que apoye el principio de equidad en el que los individuos tengan derecho a un nivel equitativo de protección de los riesgos, el cual esté considerado por la ley y no una que sea variable consideraba tolerable o aceptable por su organización;
- Apoyar el principio de utilidad como reducción del riesgo no debe de requerir más esfuerzo que lo que es razonablemente practicable;
- Permitir el establecimiento de objetivos no prescriptivos;
- Apoyar la mejora continua hacia la meta de minimizar el riesgo;
- Proveer una metodología transparente y objetiva para discutir y determinar el riesgo aceptable o tolerable a través de la consulta a las partes interesadas.

Limitaciones:

- Interpretar un ALARP puede ser difícil porque requiere que las organizaciones entiendan el contexto legislativo de lo razonablemente practicable y que ejerciten su juicio con respecto a dicho contexto.
- Aplicar un ALARP a nuevas tecnologías puede ser problemático porque los riesgos y posibles amenazas podrían no ser conocidas o bien entendidas.
- El ALARP fija un estándar común de cuidado que podría no ser financieramente asequible para organización más pequeñas, resultando en asumir riesgos o detener una actividad.

---

[68] IEC 31010 (2019). Risk management techniques...pp. 95-96

Lluvia (o tormenta) de ideas

La tormenta o lluvia de ideas es una herramienta esencial que nos permite obtener información valiosa sobre temas a tratar. Generalmente es utilizada como parte de las metodologías para solucionar problemas o parte del quehacer de los círculos de calidad (de mejora) o equipos de trabajo. Es una herramienta que tiene por objetivo despertar la imaginación y hacer que la ideas fluyan en un ambiente de cordialidad y enfoque en resultados.

Con el equipo de trabajo que conozca sobre el tema se puede obtener información sobre los peligros y riesgos de procesos, también se pude obtener información valiosa sobre las causas o sobre las consecuencias a las que se puede llegar en caso de no dar tratamiento a los riesgos identificados y valorados.

Existen algunas variantes sobre la tormenta de ideas y un facilitador podrá decidir sobre cuál de ellas es la mejor opción para obtener la información necesaria para el caso del riesgo especifico que se esté analizando:

1. Estructurada (con un orden en las participaciones),
2. No estructurada (con participaciones según se demande por los participantes)
3. Silenciosa por medio de tarjetas (método TKJ)
4. Con incorporación de variantes: 3 ideas, 6 personas, 5 minutos (365)
5. Roles (supervisor, operador, inspector, etc.)

La tormenta de ideas se potencializa si se utiliza con algunas otras técnicas para la apreciación del riesgo, por si misma, al obtener información con una estructura y clasificada permitirá al personal mejorar la toma de decisiones sobre las acciones o controles sobre los peligros y riesgos analizados o bien definir la mejor técnica complementaria para estimar el riesgo.

Entrevistas estructuradas o semiestructuradas

Pendiente modificar texto.

En una entrevista estructurada, los entrevistados son sometidos a un conjunto de preguntas preparadas a partir de una hoja de indicaciones, que estimulan al entrevistado a ver la situación desde una perspectiva diferente y por tanto a identificar los riesgos desde esta perspectiva. Una entrevista semiestructurada es similar, pero permite más libertad para mantener una conversación con objeto de examinar los temas a tratar.

Las entrevistas estructuradas y semiestructuradas son útiles cuando es difícil reunir a las personas para una sesión de tormenta de ideas o cuando un debate fluido en grupo no es apropiado para la situación o para las personas implicadas.

Estas entrevistas se utilizan frecuentemente para identificar riesgos o para apreciar la eficacia de los controles existentes como parte del análisis del riesgo. Se pueden realizar en cualquier etapa de un proyecto o proceso. Constituyen un medio de proporcionar una entrada para la apreciación del riesgo a las partes interesadas.

El proceso se basa en establecer un conjunto de preguntas pertinentes para que sirva de guía al entrevistador. Siempre que sea posible, las preguntas deberían ser abiertas y concretas, sencillas, formuladas en un lenguaje apropiado al entrevistado, y relacionadas únicamente con un asunto. También se deben preparar las posibles preguntas de seguimiento para obtener aclaraciones.

Las preguntas se formulan entonces a la persona que está siendo entrevistada. Cuando se elaboran las preguntas de seguimiento, éstas deberían ser abiertas y concretas. Se debería tener cuidado con no "influenciar" al entrevistado.

Lista de verificación

Una lista de verificación tiene por objetivo a partir de una serie de cuestionamientos, asegurarse de que se están realizando las acciones que evitarán que los peligros se materialicen en situaciones desagradables. Generalmente contiene una estructura asociada a las actividades a realizar en un proceso. De manera que, aunque no obtenemos un valor de riesgo de ellos sí tiene un enfoque 100 % preventivo.

Una lista de verificación es un elemento de control administrativo, por así decirlo, y una construcción relativamente fácil es a partir del procedimiento establecido o bien de una especificación a la cual se debe dar cumplimiento y en donde quizá previamente se ha identificado un riesgo asociado a dicho proceso.

Una lista de verificación tiene una mayor utilidad cuando se utiliza para controlar los resultados de actividades rutinarias o repetitivas, sin embargo, existen ciertas ocasiones que, aunque solamente se ejecute una actividad una sola vez, por ejemplo, en un año, la lista de verificación será de gran utilidad al evitar los potenciales fallos identificados.

La ISO 31010 recomienda los siguientes pasos para realizar una lista de verificación[69]:

- definir el campo de aplicación de la actividad;
- seleccionar una lista de verificación que cubra adecuadamente el campo de aplicación, las listas de verificación se deben seleccionar cuidadosamente para el fin al que van destinadas;
- la persona o el grupo de trabajo va siguiendo los pasos de la lista de verificación a través de cada elemento del proceso o sistema y revisa si los puntos de la lista de verificación son correctos.

Los resultados dependen de la etapa del proceso de gestión del riesgo en que se apliquen.

No hay formatos definidos de la lista de verificación porque ésta atiende a las necesidades particulares del proceso o de la actividad específica que se está realizando o evaluando. A continuación, se muestra el siguiente ejemplo:

---

[69] ISO 31010 2019. Gestión del riesgo. Directrices para la página completar

Lista de Verificación Para Realización de Cursos.

Nombre del Cliente

Nombre del Curso

Fecha:	
Número de participantes:	

Material del Participante   Observaciones / cantidad

Material del Participante					
Paquete Escolar:	Si		No		
Lista de Asistencia:	Si		No		
Lista de Evaluación del Curso:	Si		No		
Memoria:	Si		No		
Material de apoyo:	Si		No		
Personalizadores:	Si		No		
Diplomas:	Si		No		
Nombres: asistentes verificados	Si		No		

Material Didáctico

Material Didáctico					
Hojas de Rotafolio Blancas:	Si		No		
Hojas de Rotafolio de Soporte:	Si		No		
Rotafolio:	Si		No		
Marcadores:	Si		No		
Borrador:	Si		No		
Archivo Electrónico:	Si		No		
Laptop:	Si		No		
Señalador:	Si		No		

Responsable del equipo: _____

Curso en Instalaciones de Servicios (Hoteles)

Cuenta Liquidada:	SI		No
Fecha _____	Contacto _____		

Figura 8, de elaboración propia

La lista de verificación parece que no tiene nada que ver con los riesgos, pero en realidad sí tiene que ver mucho, bien diseñada y aplicada puede ayudar a prevenir que haya fallas en el proceso, o mejor dicho previene que los riesgos se materialicen y se logre el objetivo del proceso.

Qué pasa si…

El objetivo de esta metodología es que mediante el planteamiento de escenarios se pueda identificar los peligros o situaciones peligrosas que pueden producir una consecuencia indeseable y afecten el cumplimiento de los objetivos de la organización, de un sistema, un proceso o proyecto.

La herramienta ¿Qué pasa si...? se forma generalmente por una serie de preguntas ordenadas sobre situaciones peligrosas potenciales así como sus consecuencias, niveles de seguridad y posibles opciones para la reducción de riesgos. Se plantean preguntas de escenarios posibles y las preguntas se plantean usando la expresión ¿Qué pasa si...?

Es una herramienta que puede comenzar con una lluvia de ideas de ideas sobre el elemento de estudio: sistema, un proceso o proyecto operación. Se sugiere sea conducida por un líder con experiencia en el proceso y en el uso de la herramienta.

La ventaja de la herramienta ¿Qué pasa si... ¿ es que su formato es sencillo y permite obtener información valiosa, por ejemplo, del proceso analizado. Una columna fundamental del formato es sobre la evaluación de los niveles de seguridad o controles existentes; en seguridad a estos controles también se les llama salvaguardas.

La herramienta básicamente es cualitativa porque no hay una medición específica ni obtención de valores, los potenciales accidentes o incidentes identificados no se clasifican, ni reciben implicaciones cuantitativas, sin embargo, la herramienta es valiosa porque con la información obtenida se pueden sugerir alternativas aumentar o mejorar los controles y eso redunde en una reducción del riesgo.

Un formato tradicional se muestra a continuación:

Sistema:						
Subsistema:						
Pregunta ¿Qué pasa si...?	Peligro/ Riesgo	Consecuencia	Niveles de seguridad (controles o salvaguardas)	Recomendación (acción)	Responsable	Fecha

Figura 9. Formato en blanco para el uso de la herramienta ¿Qué pasa si...?

El formato se puede adecuar a las necesidades de la organización, incluso se sugiere incorporar los elementos de la norma ISO 9001 cláusula 6.2. 2 sobre la planificación de objetivos. A continuación se muestra el ejemplo de la metodología ¿Qué pasa si...?

Sistema: Respaldo de información del área						
Pregunta ¿Qué pasa si...?	Peligro/ Riesgo	Consecuencia	Niveles de seguridad (controles)	Recomendación (acción)	Responsable	Fecha

| No funciona el equipo de computo | No contar con un respaldo de la información | Recabar neuvamente la información Retraso en la entraga del trabajo y malestar de clientes internos y externos | Respaldos mensuales en discos | - Instalar un progrma que realice respaldos diarios | Supervisor de TI | Diciembre 15 de 2019 |

Figura 10. Ejemplo de la herramienta ¿Qué pasa si…?. Creación propia

Otro ejemplo:

Sistema:	Alimentación de SO₃					
Subsistemas:	[SS1]1. Tanque de almacenamiento de SO₃					
Pregunta ¿qué pasa si?	Peligro/ Riesgo	Consecuencia	Salvaguarda	Recomendación	Tipo	Responsable
1. El tanque de almacenamiento de SO₃ se llena en exceso durante la operación de descarga	1.1 posible aumento de presión en el tanque	1.1.1 Posible emisión de SO₃ desde la válvula de seguridad del tanque	1.1.1.1 indicación local y remota de nivel en tanque de almacenamiento 1.1.2 SOP de descarga requiere registrar nivel antes de iniciar la descarga	Considere instalar alarmas de nivel alto en tanque de almacenamiento	Acciones	Vicente Hernández Valeria
2. El SO₃ introducido al tanque se encuentra contaminado con agua	2.1 Posible aumento de presión en tanque debido a la reacción del SO₃ con el agua	2.1.1 posible emisión del SO₃ desde la válvula de seguridad del tanque	2.1.1 Indicador remoto de presión en tanque de almacenamiento 2.1.2 PSV en tanque de almacenamiento	Considere solicitar COS con cada entrega de SO₃	Acciones	Verónica E. Martínez Reyes
				Considere utilizar otro medio de calefacción en lugar del vapor, para calentar el N₂ que recubre el tanque y mueve el SO₃		Vicente Hernández Valeria

Figura 11. Ejemplo tomado de Metodolodías de Análisis de Riesgos en los Procesos por Dinámica Heurística Módulo 1

Matrices de Riesgo

Existen diferentes matrices para estimar el *riesgo*, para diferentes aplicaciones y diferentes alcances, incluso diferentes niveles de evaluación. Las matrices se forman por la combinación principalmente de dos elementos a considerar: Severidad o daño o la probabilidad o frecuencia de ocurrencia del elemento de análisis.

Existen matrices desde 2 x 2 como lo indica Gaultier-Gaillard/Louisot (2014)[70]:

Severidad	Probabilidad (frecuencia o posibilidad)	
	Alta	Baja
Alta	(D)	(B)
Baja	(A)	(C)

Figura 12. Ejemplo de una matriz de riesgo 2 x 2.

En dónde: (A) Baja frecuencia y severidad, (B) Frecuencia y severidad elevadas, (C) Frecuencia alta, severidad baja y (D) Frecuencia y severidad altas

Hasta una matriz de 10 por 10 que se utiliza en análisis del riesgo operativo (financiero), aquí se muestra una matriz alternativa de 8 x 6[71]:

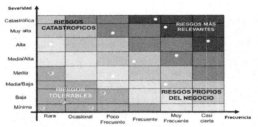

Figura 13. Tomada de Administración del riesgo operacional de Agustín Román.

Si bien la matriz de riesgos es importante, no es la única herramienta por lo que se sugiere precaución en su análisis, en todo caso, se sugiere su uso una vez que se ha descartado alguna otra herramienta más simple.

En este texto se mencionan sólo algunas de ellas:

1. Matriz con base a la norma NOM-031-STPS-2011,
2. Matriz con base en Mil Std. 882 D
3. Matriz con aplicación al sector alimenticio
4. Matriz de la Administración Pública Federal (México)
5. Otras matrices

Para formar la matriz se necesitan dos variables, generalmente nos vamos a encontrar con las siguientes:

---

[70] Gaultier-Gaillard/Louisot (2014). Diagnostic des Risques. Identifier, analyser et cartographier les vulnérabilités. AFNOR éditions. Nouvelle édition, France. P 104
[71] ROMÁN, Aguilar Agustín (2017). "Administración del riesgo operacional", NUMERAVI, México. pp 81-96

a. Gravedad o Severidad (del daño)
b. Probabilidad (de Ocurrencia) o frecuencia

Matriz de riesgos con base en la NOM-031-STPS-2011

En la matriz con base a la norma NOM-031-STPS-2011[72], se considera lo siguiente:

Tabla 7. Tipos de frecuencia

Frecuencia		Definición
Categoría	Denominación	
A	Remota	Que excepcionalmente puede ocurrir
B	Aislada	Que difícilmente ocurre
C	Ocasional	Que pocas veces ocurre
D	Recurrente	Que se repite con periodicidad
E	Frecuente	Que ocurre con regularidad

Y

Tabla 8. Tipos de frecuencia

Severidad		Definición
Categoría	Denominación	
I	Menor	Sin daños o con daños que impidan incapacidades temporales del trabajador de tres días o menos
II	Moderada	Puede implicar la incapacidad temporal del trabajador por más de tres días
III	Crítica	Puede implicar la incapacidad permanente parcial del trabajador
IV	Fatal	Puede implicar la incapacidad permanente total del trabajador

Aunque esta norma está diseñada para ser aplicada en el sector de la construcción y expresada en términos de seguridad y salud en el trabajo, se puede utilizar en otros campos, sobre todo porque las áreas del grado de riesgo ya han sido calculadas, sin embargo, es altamente sugerido que se haga una adecuación con relación al tipo de peligro-riesgo a evaluar; si se van a analizar peligros de otros campos que no sean de seguridad y salud en el trabajo, por ejemplo, si es un peligro administrativo, como pudiera ser error en la facturación, entonces se debe hacer la adecuación de la severidad en eso términos, por ejemplo: Categoría I-Menor sin daños económicos, al cliente o sanciones del Sistema de Administración Tributaria (SAT); Categoría II-Moderada puede implicar algunas molestias al cliente; III-Crítica puede implicar sanciones económicas, sanciones del Sistema de Administración Tributaria (SAT) o algún tipo de sanción por parte del cliente; IV-Fatal puede implicar sanciones económicas, sanciones del Sistema de Administración Tributaria (SAT) o algún tipo de sanción por parte del cliente

---

[72] NOM-031-STPS-2011. Construcción-Condiciones de seguridad y salud en el trabajo

La combinación de estos elementos nos da la siguiente matriz:

Jerarquización del impacto del riesgo						
			Severidad del daño			
			I Menor	II Moderado	III Crítica	IV Fatal
Frecuencia de ocurrencia del riesgo	E	Frecuente	Medio	Elevado	Grave	Grave
	D	Recurrente	Bajo	Medio	Elevado	Grave
	C	Ocasional	Mínimo	Bajo	Medio	Elevado
	B	Aislada	Mínimo	Mínimo	Bajo	Medio
	A	Remota	Mínimo	Mínimo	Mínimo	Bajo

Figura 14. Tomada de NOM-031-STPS-2011

Se propone una matriz que considera varios aspectos de un proceso que puede generar riesgos. Dicha matriz se ha construido en un archivo de Excel.

Primera parte

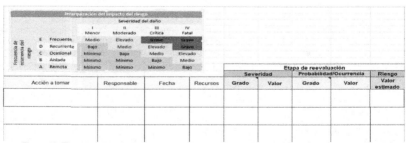

Figura 15. Ejemplo: matriz de riesgos con base en la NOM-031-STPS-2011 en Excel. Parte 1

Segunda parte

Figura 16. Ejemplo de una matriz de riesgos con base en la NOM-031-STPS-2011 en Excel. Parte 2

Ahora se procede a explicar el archivo que representa una matriz de riesgos. Se inicia con los datos básicos del proceso:

Encabezado.
La información que debe tener el encabezado del análisis y evaluación de riesgos.

1. Nombre de la organización.
2. Integrantes del equipo de análisis y evaluación de riesgos,
3. Alcance del estudio.

Datos del proceso.

Se registran los datos del proceso y las actividades que son analizadas, como se muestra a continuación:

Proceso	Condición operativa	Actividad	Peligro (Situación, Fuente, Acto)

Figura 17. Formato para registrar los datos del proceso.

La condición operativa se refiere a la frecuencia genérica con que se realiza la actividad del proceso y esta puede ser: rutinaria, que se realiza con mucha frecuencia, por ejemplo, todos los días o en cada turno; no rutinaria, que se realiza esporádicamente y excepcional, que eventualmente se llega a realizar.

En la matriz se tiene la sección de causa o causas, en donde se debe colocar aquella (s) que genera(n) el riesgo; también se debe anotar la consecuencia, que indica el efecto que provoca la acción mencionada en causa; y se agregan también los controles actuales, en donde se escriben las medidas existentes para controlar ese generador de riesgos.

Causa (s)	Consecuencia (s)	Controles Actuales (Salvaguardas)

Figura 18. Formato para registrar los datos las causas.

En la siguiente sección de la matriz propuesta, se tiene la evaluación en su etapa inicial. En esta sección se evalúa la severidad, la ocurrencia o probabilidad de ocurrencia y la estimación del riesgo. Aquí se determina la severidad de la acción que puede representar un riesgo.

Etapa inicial				
Severidad		Frecuencia de Ocurrencia		Riesgo
Grado	Valor	Grado	Valor	Valor Estimado

Figura 19. Formato para registrar los datos de la etapa inicial.

En la siguiente sección de la matriz se tiene la sección de acciones a tomar, en donde se proponen las medidas que se tomarán para contrarrestar, prevenir o reducir los riesgos potenciales.

Acción a tomar	Responsable	Fecha	Recursos

Figura 20. Formato para registrar los datos de las acciones a tomar.

Una vez que se han realizado las acciones correspondientes, tratamiento de los riesgos, y después de que el proceso se ha homogenizado se sugiere altamente realizar una reevaluación de los riesgos, lo que represntaría una reevaluación para analizar el nuevo estado de ellos.

Etapa de reevaluación				
Severidad		Frecuencia de Ocurrencia		Riesgo
Grado	Valor	Grado	Valor	Valor estimado

Figura 21. Formato para registrar los datos de la etapa de reevaluación, de elaboración propia.

A continuación, se muestra un ejemplo:

Proceso	Condición operativa	Actividad	Peligro (Situación, Fuente, Acto)	Causa	Consecuencia	Controles Actuales (Salvaguardas)
Impartición de cursos	Rutinaria	Elaboración de diplomas	Errores en los nombres de los participantes en diploma	Error en la lista de asistencia, sin revisión inicial, Falta de ortografía del capturista	Malestar en el participante (Cliente), incremento en el costo, mala imagen	sin

Figura 22. Ejemplo de un proceso de impartición de cursos, de elaboración propia.

En la etapa inicial podemos observar que la severidad se encuentra en un grado crítico, con grado de ocurrencia elevada y que representa un riesgo elevado.

Etapa inicial				
Severidad		Frecuencia de Ocurrencia		Riesgo
Grado	Valor	Grado	Valor	Valor Estimado
Crítica	III	Recurrente	D	Elevado

Figura 23. Ejemplo de la etapa inicial, de elaboración propia.

Posteriormente se proponen diversas acciones a realizar para disminuir la severidad y contrarrestar los efectos que esto pueda tener en el proceso o acción. En este caso, se enlistan las acciones, el nombre del responsable y la fecha en que se realizó la acción.

Acción a tomar	Responsable	Fecha	Recursos
Proporcionar curso de ortografía.	Pedro Acosta	Agosto	Presupuesto 1
Revisión al recibir la lista de Asistencia antes de su captura	Pedro Acosta	Septiembre	na
Revisión de diplomas por parte de de los participantes	Pedro Acosta	Octubre	na

Figura 24. Ejemplo de las acciones a tomar.

Se recomiendo volver a evaluar el proceso para verificar que las acciones implementadas hayan generado un cambio significativo en la severidad del proceso. Aquí podemos observar que disminuyó su severidad a moderada, con un riesgo estimado medio. Y con esto se da cumplimiento al requisito de la norma ISO 9001 en donde solicita que evalúe la eficacia de las acciones, incluso la efectividad de ellas.

Etapa de reevaluación				
Severidad		Fecuencia de Ocurrencia		Riesgo
Grado	Valor	Grado	Valor	Valor estimado
Moderada	II	Ocasional	C	Bajo

Figura 25. Ejemplo de la etapa de reevaluación.

Matriz con base en la Mil Std. 882D.

La matriz con base en la Mil Std. 882 D[73] sugiere unos criterios que se deberían considerar en la evaluación del riesgo relacionado a cuestiones de seguridad, salud en el trabajo y medio ambiente:

Tabla 9. Gravedad del [Peligro] accidente		
Descripción	Categorías	Criterios de resultados ambientales, de Seguridad y de Salud [en el trabajo]
Catastrófico	I	Podría resultar en la muerte, incapacidad total permanente, pérdida superior a $ 1 millón, o irreversible grave ambiental daño que viola la ley o regulación
Crítico	II	Podría provocar una discapacidad parcial permanente, lesiones o enfermedades laborales que pueden resultar en la hospitalización de al menos tres personas, pérdidas superiores a $ 200 K pero menos de $ 1 M o daños ambientales reversibles que causen una violación de la ley o regulación
Marginal	III	Podría provocar lesiones o enfermedades laborales que ocasionen uno o más días de trabajo perdidos, pérdidas superiores a $ 10 K pero menos de $ 200 K, o daños ambientales mitigables sin violación de la ley o la regulación donde se pueden realizar las actividades de restauración
Despreciable	IV	Podría provocar lesiones o enfermedades laborales que ocasionen uno o más días de trabajo perdidos, pérdidas superiores a $ 10 K pero menos de $ 200 K, o daños ambientales mitigables sin violación de la ley o la regulación donde se pueden realizar las actividades de restauración

Tomada de la Mil Std. 882 D. p 18. Nota K: es igual a mil; M es igual a un millón.

Tabla 10. Probabilidad de Peligros			
Descripción	Nivel	Elemento individual específico	Inventario
Frecuentemente	A	Es probable que ocurra a menudo en la vida de un artículo, con una probabilidad de ocurrencia mayor de 10^{-1} en esa vida.	Continuamente experimentado
Probablemente	B	Ocurrirá varias veces en la vida de un artículo, con una probabilidad de ocurrencia menor a 10^{-1} pero mayor a 10 en esa vida	Ocurrirá con frecuencia
Ocasionalmente	C	Es probable que ocurra algún tiempo en la vida de un artículo, con un probabilidad de ocurrencia menor de 10^{-2} pero mayor de 10 en esa vida	Ocurrirá varias veces

---

[73] Standard MIL – STD – 882D. (2000). Standard Practice for System Safety. United States of America: Department of Defense.

Continuación tabla 10			
Remotamente	D	Es improbable pero posible que ocurra en la vida de un artículo, con una probabilidad de ocurrencia menor a 10-3 pero mayor a 10 en esa vida	Es poco probable, pero se puede esperar razonablemente que ocurra.
Improbablemente	E	Por lo tanto, es poco probable que la ocurrencia pueda experimentarse, con una probabilidad de ocurrencia menor a 10^{-6} en esa vida	Es poco probable que ocurra, pero es posible.

Tomada de la Mil Std. 882 D. p 19

Y se forma la matriz siguiente:

Tabla 11. Matriz con base en la Mil Std. 882D.			
Frecuencia	**Severidad**		
	Catastrófico	**Crítico**	**Marginal**	**Insignificante**
Frecuente	1. Inaceptable	3. Inaceptable	7. Indeseable	13. Aceptable con revisión
Probable	2.Inaceptable	5. Inaceptable	9. Indeseable	16. Aceptable con revisión
Ocasional	4. Inaceptable	6. Indeseable	11. Aceptable con revisión	18. Aceptable sin revisión
Remoto	8. Indeseable	10. Aceptable con revisión	14. Aceptable con revisión	19. Aceptable sin revisión
Improbable	12. Aceptable con revisión	15. Aceptable con revisión	17. Aceptable con revisión	20. Aceptable sin revisión

En la práctica, la matriz con base en Mil Std 882 D se puede aplicar en un archivo de Excel similar a la matriz y ejercicio anterior; el concepto prácticamente es el mismo, lo que cambian son los criterios de evaluación:

Primera parte:

Actividad	Peligro (Situación. Fuente. Acto)	Causa	Consecuencia	Controles Actuales (Salvaguardas)	Etapa inicial				
					Severidad		Probabilidad/Ocurrencia		Riesgo
					Grado	Valor	Grado	Valor	Valor Estimado
Evaluar la solicitud y emitir la autorización	Error en el nombre de la empresa	Inadecuada corrección del procesador de texto	Rechazo por el cliente	Solamente se verificaban las especificaciones técnicas	Catastrófico	IV	Ocasional	C	Inaceptable
		Falta de revisión y supervisión del documento generado		cantidad de las mercancías y no el nombre de empresas extranjeras	Catastrófico	IV	Ocasional	C	Inaceptable

Figura 26. Ejemplo de la matriz Mil Std 882 D en Excel. Parte 1

Segunda parte:

Acción a tomar	Responsable	Fecha	Etapa de reevaluación				
			Severidad		Frecuencia		Riesgo
			Grado	Valor	Grado	Valor	Valor estimado
Generar instrucción para evitar la recurrencia. Revisión del documento impreso por dos personas	XYZ	30-sep-16	Insignificante	I	Improbable	A	Aceptable sin Revisión

Figura 27. Ejemplo de la matriz Mil Std 882 D en Excel. Parte 2.

Matriz de riesgos aplicada a la norma ISO 22000

Encabezado

Figura 28. Encabezado de la matriz de riesgos aplicada a la norma ISO 22000.

Se aplica

Figura 29. Parte del proceso de la matriz de riesgos aplicada a la norma ISO 22000.

La variación en la industria alimentaria para la clasificación de los peligros se ilustra a continuación:

Peligro (Situación, Fuente, Acto)	Tipo	Causa	Consecuencia	Controles Actuales (Salvaguardas)
	Q			
	F			
	B			

Figura 30. Clasificación de los peligros de la matriz de riesgos aplicada a la norma ISO 22000.

En esta sección se manejan tres opciones:

Q para peligro químico; F para peligro físico; B para peligro biológico

Según la Organización Panamericana para la Salud (OPS) se definen como[74]:

- Peligros biológicos: bacterias, virus y parásitos patogénicos, determinadas toxinas naturales, toxinas microbianas, y determinados metabólicos tóxicos de origen microbiano.
- Peligros químicos: pesticidas, herbicidas, contaminantes tóxicos inorgánicos, antibióticos, promotores de crecimiento, aditivos alimentarios tóxicos, lubricantes y tintas, desinfectantes, micotoxinas, ficotoxinas, metil y etilmercurio, e histamina.
- Peligros físicos: fragmentos de vidrio, metal, madera u otros objetos que puedan causar daño físico al consumidor.

Entonces en el archivo de Excel se tiene la opción de definir la clasificación del peligro

Peligros/Riesgos
Químicos
Físicos
Biológicos

Figura 31. Clasificación de los peligros y/o riesgos de la matriz de riesgos aplicada a la norma ISO 22000.

Evaluación o valoración del riesgo:

Etapa inicial				
Severidad		Frecuencia de ocurrencia		Riesgo
Grado	Valor	Grado	Valor	Valor Estimado

Figura 32. Etapa inicial de la matriz de riesgos aplicada a la norma ISO 22000.

En esta matriz de aplicación a industria alimentaria se sugiere utilizar la gráfica de calor:

		JERARQUIZACIÓN DEL IMPACTO				
		SEVERIDAD				
		1	2	3	4	5
PROBABILIDAD	5 Frecuente	5	10	15	20	25
	4 Probable	4	8	12	16	20
	3 Ocasional	3	6	9	12	15
	2 Poco probable	2	4	6	8	10
	1 Improbable	1	2	3	4	5

---

[74] OPS. Clasificación de los peligros. Última consulta: 2 de noviembre de 2019. Tomado de https://www.paho.org/hq/index.php?option=com_content&view=article&id=10837:2015-clasificacion-peligros&Itemid=41432&lang=es

Figura 33. Grafica de calor aplicada a la matriz de riesgos aplicada a la norma ISO 22000.

Los criterios de probabilidad o frecuencia de ocurrencias se muestran a continuación:

Tabla 12. Criterios de probabilidad o frecuencia		
PROBABILIDAD (frecuencia de ocurrencia)		DEFINIDO COMO
5	Frecuente	Diario
4	Probable	Semanal
3	Ocasional	Mensual
2	Poco probable	Anual
1	Improbable	Más de 5 años

Como se ilustra en la tabla siguiente, en lo relativo a Severidad se consideraron escenarios propios del sector.

Tabla 13. Tipos de severidad		
SEVERIDAD		DEFINIDO COMO
5	Fatal	Muerte
4	Grave	Daños crónicos
3	Severidad alta	Intoxicación, infección o reacción alérgica grave
2	Severidad media	Intoxicación, infección o reacción alérgica leve
1	Severidad baja	Daños en el producto, queja de cliente o devolución (No hubo daños en consumidor)

La combinación de severidad y frecuencia de ocurrencia define los siguientes niveles de riesgo alimentario:

Tabla 14. Niveles de riesgo alimentario		
Riesgo		Nivel de control
	Muy alto	Control formal (PCC)
	Alto	Control formal (PPR operativo)
	Moderado	Monitoreo físico / inspección visual
	Bajo	Entrenamiento en BPM y PPR

Y siguiendo los principios del HACCP se define un nivel de control correspondiente y en donde PCC es punto crítico de control, PPR es programa de prerrequisitos, BPM es buenas prácticas de manufactura.

Igual como se ha mencionado anteriormente, a los riesgos en la zona roja o clasificados como muy altos (zona roja) o altos (zona naranja) se les debe dar un tratamiento, esto es, realizar una serie de acciones para minimizar el nivel de riesgo.

Acción a tomar	Responsable	Fecha	Recurso

Figura 34. Acciones a ejecutar en la matriz de riesgos aplicada a la norma ISO 22000.

una vez que se han realizado las acciones correspondientes o establecido los controles necesarios y después de un tiempo en el que proceso se ha estabilizado se debería realizar una segunda evaluación del riesgo y analizar el efecto de las acciones emprendidas.

Etapa de reevaluación				
Severidad		Frecuencia de ocurrencia		Riesgo
Grado	Valor	Grado	Valor	Valor estimado

Figura 35. Etapa de reevaluación en la matriz de riesgos aplicada a la norma ISO 22000

Si el nivel de riesgo no ha disminuido será un indicativo de que las acciones o controles establecido no han sido efectivos.

Una matriz alternativa para los riesgos de seguridad alimentarios sería la siguiente:

La organización SQFI propone la siguiente matriz[75]:

[75] SQF Institute (2012). Capacitación en Implementación de Sistemas SQF. Implementación de un sistema SQF. Tomado de https://slideplayer.es/slide/5463880/. Pp 42-43
Nota: El Safe Quality Food Institute (SQFI), una división del Food Marketing Institute (FMI), es la organización responsable de redactar y mantener el Programa SQF, programa riguroso y creíble de seguridad y calidad de los alimentos que es reconocido por los minoristas, propietarios de marcas y proveedores de servicios de alimentos en todo el mundo, así como una variedad de otros recursos de apoyo y programas de la industria alimentaria.

Frecuencia / Consecuencia	Común A	Se sabe que ocurre B	Podría ocurrir C	No se espera que ocurra D	Prácticamente imposible E
1. Muerte	1	2	4	7	11
2. Enfermedad grave	3	5	8	12	16
3. Retirada de productos	2	9	13	17	20
4. Queja del cliente	10	14	18	21	23
5. Insignificante	15	19	22	24	25

Figura 36. Matriz alternativa propuesta por la SQFI

Con los criterios siguientes para la evaluación de la Consecuencia y la Frecuencia:

Tabla 15. Criterios para la evaluación de la Consecuencia y la Frecuencia

Consecuencias (Gravedad)	Frecuencia (Probabilidad)
1. Muerte	A. Sucede comúnmente
2. Enfermedad grave	B. Se sabe que ocurre
3. Retirada de productos	C. Podría ocurrir (está publicado)
4. Queja del cliente	D. No se espera que ocurra
5. Insignificante	H. Prácticamente imposible

Figura 37. Criterios consecuencia y Frecuencia por la SQFI

Y se considera para la clasificación del riesgo los siguientes criterios:

1. Un valor de 1 a 10 indica un punto crítico de control.
2. Los problemas de seguridad alimentaria menos significativos tendrán un valor de 11 a 25.
3. Depende del equipo de desarrollo del plan de seguridad alimentaria, determinar si es necesario implementar medidas de control (es decir, medidas de control de la condición de punto de control) o si resultarían insignificantes

Cabe hacer la aclaración que esta matriz presenta una valoración inversa a las tradicionales.

Sin embargo, la SQF no propone una gráfica de *calor*[76] o de semáforo de mucha utilidad para los analistas de riesgo, por lo que podría sugerirse utilizar la siguiente propuesta:

---

[76] Nota: el término calor, se usa para denotar que del color verde al rojo se aumenta el nivel de riesgo. El color rojo se asocia al fuego.

Consecuencia ↓ / Frecuencia →	Común	Se sabe que ocurre	Podría ocurrir	No se espera que ocurra	Prácticamente imposible
	A	B	C	D	E
1. Muerte	1	2	4	7	11
2. Enfermedad grave	3	5	8	12	16
3. Retirada de productos	2	9	13	17	20
4. Queja del cliente	10	14	18	21	23
5. Insignificante	15	19	22	24	25

Figura 38. Matriz de creación propia a partir de la información de SQF.

Ejemplo:

Suponiendo que se tiene identificado un peligro de contar con agua para un proceso de elaboración de productos líquidos con niveles altos de cloro residual y metales pesados presentes.

Si se considera una consecuencia de intoxicación en el consumidor y una frecuencia de ocurrencia porco probable, tenemos lo siguiente:

1. Si utilizamos la primera matriz propuesta

Material (materia prima)	Causa	Consecuencia	Controles Actuales (Salvaguardas)
AGUA	De origen: mala cloración del agua (red municipal). Contaminacion durante el suministro por tuberias.	Intoxicación del consumidor	Revision de sitema de filtrado diario. Procedimiento de control de calidad del agua PRO-PRD-02. Registro de control de concentración de cloro residual PRO-PRD-02-REG-02. Programa de Análisis fisicoquímico externo periódico

Figura 39. Ejemplo de la matriz de riesgos aplicada a la norma ISO 22000.

Y en la valoración tenemos un riesgo alto:

Etapa inicial				
Severidad		Probabilidad/Ocurrencia		Riesgo
Grado	Valor	Grado	Valor	Valor Estimado
Grave	4	Poco probable	2	Alto

Figura 40. Ejemplo de la etapa inicial en la matriz de riesgos aplicada a la norma ISO 22000.

Lo debería generar el establecimiento de controles adicionales.

2. Con la matriz de la SQF, más el diagrama propuesto de *calor*

El peligro considerado lo podemos ubicar de la siguiente manera:

108

Frecuencia → Consecuencia ↓	Común A	Se sabe que ocurre B	Podría ocurrir C	No se espera que ocurra D	Prácticamente imposible E
1. Muerte	1	2	4	7	11
2. Enfermedad grave	3	5	8	12	16
3. Retirada de productos	2	9	13	17	20
4. Queja del cliente	10	14	18	21	23
5. Insignificante	15	19	22	24	25

Figura 41. Aplicación de la matriz de la SQF.

Y el riesgo lo podríamos ubicar como alto o bien que representa un punto crítico de control, además de realizar acciones inmediatas para que el riesgo no se pueda materializar.

Matriz de la Administración Pública Federal (México)

En el título tercero capítulo I del Manual Administrativo de Aplicación General en Materia de Control Interno de la Administración Pública Federal (APF) de México, se establece la metodología de administración de riesgos.

En el apartado III Evaluación de Riesgos, se establecen una serie de definiciones y pautas para la identificación de riesgos (peligros) así como las tablas de criterios para la valoración del impacto y de la probabilidad de ocurrencia, lo que da la pauta al uso mediante un archivo de Excel de una matriz de riesgo (con sus características particulares).

El alcance de la aplicación de esta evaluación de riesgos y aplicación de la matriz es a:

a. las metas y objetivos institucionales,

b. y los procesos sustantivos con los cuales se logran estos,

lo que permitirá definir un inventario de riesgos institucionales.

En el archivo de Excel complementario al Manual indica la realización de la evaluación de riesgos en varias etapas, la primera es una evaluación considerando el proceso sin controles, posteriormente se hará una segunda evaluación de los controles y finalmente la evaluación de los riesgos con respecto a esos controles.

Sección inicial:

Fase I. EVALUACIÓN RIESGOS						
No. de Riesgo	Unidad Administrativa	Alineación a Estrategias, Objetivos, o Metas Institucionales		RIESGO	Nivel de decisión del Riesgo	Clasificación del Riesgo	
		Selección	Descripción			Selección	Especificar Otro

Figura 42. Sección inicial de la matriz de la APF.

Se proporciona una guía para el llenado de los campos correspondientes

- Número de riesgo. Este se visualiza automáticamente y de forma consecutiva, una vez requisitados el apartado de "Información General" y la descripción del riesgo.
- Unidad administrativa: La unidad Administrativa Responsable de administrar el riesgo identificado.
- Alineación a Estrategias, objetivos o metas institucionales. Selección. Seleccione la opción que esté alineada al riesgo especificado.
- Descripción: Describir brevemente la Estrategia, el objetivo, la Meta o el Proceso prioritario al que esté alineado el riesgo identificado, según corresponda
- Riesgo: registrar el nombre del riesgo identificado por la institución.
- Nivel de decisión del Riesgo: Identificar el nivel de exposición del riesgo en caso de su materialización: Estratégico, Directivo, Operativo.
- Clasificación del Riesgo: Seleccionar el tipo de riesgo, en congruencia con la descripción del mismo: Sustantivo, Administrativo, Legal, Financiero, Presupuestal, de Servicios, de Seguridad, de Obra Pública, de recursos humanos, de Imagen, de TIC's, de salud, de corrupción y de otros.
- Factor: Describir la circunstancia, causa o situación interna o externa que aumenta la probabilidad de que un riesgo se materialice.

Fase I. EVALUACIÓN RIESGOS							
FACTOR				Posibles efectos del Riesgo	Valoración Inicial		
No. de Factor	Descripción	Clasificación	Tipo		Grado Impacto	Probabilidad Ocurrencia	Cuadrante

Figura 43. Sección inicial de la matriz de la APF.

Para la identificación de los factores de riesgo se utilizarán los definidos en la sección de Peligros, y se complementa con una instrucción que indica que solamente se pueden incorporar en el formato como máximo CINCO factores [se desconoce el porqué de esto].

Se completan instrucciones para clasificación del factor y valorar el riesgo.

Posibles efectos del riesgo: describir las consecuencias que incidirán en el incumplimiento de las metas y objetivos institucionales, en caso de materializarse el riesgo identificado.

Valoración inicial: La valoración del grado de impacto y de la probabilidad de ocurrencia se determinará inicialmente sin considerar los controles existentes para administrar los riesgos, a fin de visualizar la máxima vulnerabilidad a que está expuesta la Institución de no responder ante ellos adecuadamente.

Se muestran las tablas de los criterios para la valoración del impacto y de la frecuencia de ocurrencia:

Grado de impacto. La asignación se determinará con un valor del 1 al 10 en función de los efectos, de acuerdo con la siguiente escala de valor:

Tabla 16. Grados de impacto

Escala	Impacto	Descripción
10	Catastrófico	Influye directamente en el cumplimiento de la misión, visión, metas y objetivo de la Institución y puede implicar pérdida patrimonial, incumplimientos normativos, problemas operativos o impacto ambiental y deterioro de la imagen, dejando demás sin funcionar totalmente o por un periodo importante de tiempo, afectando los programas, proyectos, procesos o servicios sustantivos de la Institución.
9		
8	Grave	Dañaría significativamente el patrimonio, incumplimientos normativos, problemas operativos o de impacto ambiental y deterioro de la imagen o logro de las metas y objetivos institucionales. Además, se requiere una cantidad importante de tiempo para investigar y corregir daños.
7		
6	Moderado	Causaría, ya sea una pérdida importante en el patrimonio o un deterioro significativo en la imagen institucional.
5		
4	Bajo	Causa un daño en el patrimonio o imagen institucional, que se puede corregir en el corto tiempo y no afecta el cumplimiento de las metas y objetivos institucionales.
3		
2	Menor	Riesgo que puede ocasionar pequeños o nulos efectos en la Institución.
1		

Tabla tomada del Manual Administrativo de Aplicación General en Materia de Control Interno de la APF

Tabla 17. Probabilidad de ocurrencia

Escala de Valor	Probabilidad de Ocurrencia	Descripción
10	Recurrente	Probabilidad de ocurrencia muy alta. Se tiene la seguridad de que el riesgo se materialice, tiende a estar entre 90% y 100%.
9		
8	Muy probable	Probabilidad de ocurrencia alta. Está entre 75% a 89% la seguridad de que se materialice el riesgo.
7		
6	Probable	Probabilidad de ocurrencia media. Está entre 51% a 74% la seguridad de que se materialice el riesgo
5		
4	Inusual	Probabilidad de ocurrencia baja. Está entre 25% a 50% la seguridad de que se materialice el riesgo.
3		

2		Probabilidad de ocurrencia muy baja.
1	Remota	Está entre 1% a 24% la seguridad de que se materialice el riesgo.

Tabla tomada del Manual Administrativo de Aplicación General en Materia de Control Interno de la APF

Si los riesgos evaluados corresponden a un estado elevado o en zona roja entonces se deben definir las acciones, tal como se ha mencionado en matrices anteriores. Quizá a título personal, me parece un paso en exceso si es que el objetivo o proceso evaluado ya cuenta con una serie de controles, en caso contrario, será necesario definirlos a través de las acciones correspondientes.

Posteriormente se requiere de la evaluación propia de los controles:

II. Evaluación de controles

II. EVALUACIÓN DE CONTROLES									
¿Tiene controles?	CONTROL			Determinación de Suficiencia o Deficiencia del Control					Riesgo Controlado Suficientemente
	No.	Descripción	Tipo	Está Documentado	Está Formalizado	Se Aplica	Es Efectivo	Resultado de la determinación del Control	

Figura 44. Fase 2 de la matriz de la APF.

También se orienta con una serie de instrucciones:

Tiene controles: Determinar si existen o no los controles para cada uno de los factores de riesgo, y en su caso, para sus efectos.

Descripción de controles existentes. Describir los controles existentes para administrar los factores de riesgo, y en su caso, para sus efectos.

Tipo de control: Determinar el tipo de control para cada uno de los factores de riesgo, según corresponda: Preventivo, Correctivo, Defectivo.

Determinación de suficiencia o deficiencia del control: Evaluar cada uno de los controles que se tienen implementados para administrar el riesgo, identificando lo siguiente:

Deficiencia: Cuando no reúna alguna de las siguientes condiciones

-Está **documentado**: Que se encuentra descrito
-Está **formalizado**. Se encuentra autorizado por servidor público facultado
-Se **aplica**: Se ejecuta consistentemente el control
-Es **efectivo**. Cuando se incide en el factor de riesgo, para disminuir la probabilidad de ocurrencia

Suficiencia: Cuando se cumplen todos los requisitos anteriores.

El riesgo es considerado controlado suficientemente, cuando todos sus factores cuentan con controles adecuados.

Resultado de la determinación del control: Se registrará automáticamente al momento de responder "Si" el control cumple o "No" con las condiciones necesarias, determinando si es **suficiente** o **deficiente**.

Riesgo controlado suficientemente: Se registrará automáticamente, considerando la existencia de controles para cada factor y si estos son suficientes.

La celda en color "Verde" indica que el riesgo está controlado suficientemente.

La celda en color "Amarillo" indica que alguno de los factores identificados no tiene controles y/o son deficientes.

Sección de reevaluación

Y la valoración final de los riesgos: **III. Evaluación de Riesgos respecto a Controles**

III. Valoración de Riegos vs. Controles	
Valoración Final	
Grado de Impacto	Probabilidad de Ocurrencia

Figura 45. Fase 3 de la matriz de la APF.

Y se proporcionan las instrucciones correspondientes:

Valoración final de riesgos respecto a controles: Se realizará la confronta de los resultados de la evaluación de riesgos y de controles, a fin de visualizar la máxima vulnerabilidad a que está expuesta la institución de no responder adecuadamente ante ellos, considerando los siguientes aspectos:

- La valoración final del riesgo nunca podrá ser superior a la valoración inicial
- Si todos los controles de riesgo son suficientes, la valoración final del riesgo deberá ser inferior a la inicial
- Si algunos de los controles del riesgo son deficientes o se observa inexistencia de controles, la valoración final del riesgo deberá ser igual a la inicial
- La valoración final carecerá de validez cuando no considere la valoración inicial del impacto y de la probabilidad de ocurrencia del riesgo; la totalidad de los controles existentes y la etapa de evaluación de controles.

Con los riesgos obtenidos se construye lo que se llama un mapa de riesgos institucionales, que no es otra cosa que posicionar la valoración de los riesgos en un mapa de calor. La distribución del mapa de calor difiere en comparación de las matrices tradicionales.

IV. Mapa de Riesgos Institucionales

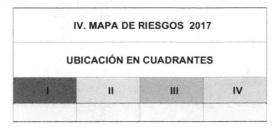

IV. MAPA DE RIESGOS 2017			
UBICACIÓN EN CUADRANTES			
I	II	III	IV

Figura 46. Fase 4 de la matriz de la APF.

Mapa de riesgos: Se registrará automáticamente la ubicación del riesgo por el cuadrante en la Matriz y se graficarán en el Mapa de Riesgos, una vez registrada la Valoración Final (Resultado de la evaluación del riesgo y controles)

Lo riesgos se sitúan de la siguiente manera y su uso se verá más adelante:

Cuadrante I (rojo): riesgos críticos y de atención inmediata
Cuadrante II (amarillo): riesgos significativos
Cuadrante III (azul): riesgo menos significativo
Cuadrante IV (verde): riesgo de baja probabilidad de ocurrencia y bajo impacto

Como lo mandan los cánones de la gestión de riesgos, el tratamiento sobre los riesgos es necesario y aquí no es la excepción: los tratamientos para esta matriz se han mencionado en la sección correspondiente de la norma ISO 31000:

V. Definición de Estrategias y Acciones para su Administración

V. ESTRATEGIAS Y ACCIONES	
Estrategia para Administrar el Riesgo	**Descripción de la(s) Acción(es)**

Figura 47. Fase 5 de la matriz de la APF.

Estrategia para administrar el riesgo: Son las políticas de respuesta para administrar los riesgos, basados en la valoración final del impacto y de la probabilidad de ocurrencia del riesgo, lo que permitirá determinar las acciones de control a implementar por cada factor de riesgo.

114

Es imprescindible realizar un análisis de beneficio ante el costo en la mitigación de los riesgos para establecer las estrategias [genéricas] definidas:

1. Evitar el riesgo.
2. Reducir el riesgo.
3. Asumir el riesgo.
4. Transferir el riesgo
5. Compartir el riesgo.

A continuación, se muestra el archivo de Excel correspondiente a esta matriz seccionada por razones de espacio:

Figura 48. Archivo de Excel de la matriz de la APF.

FACTOR			Posibles efectos del Riesgo	Valoración Inicial			¿Tiene controles?
Descripción	Clasificación	Tipo		Grado Impacto	Probabilidad Ocurrencia	Cuadrante	

Figura 49. Archivo de Excel de la matriz de la APF.

¿Tiene controles?	CONTROL				Determinación de Suficiencia o Deficiencia del Control					Riesgo Controlado Suficientemente
	No.	Descripción	Tipo	Está Documentado	Está Formalizado	Se Aplica	Es Efectivo	Resultado de la determinación del Control		

(II. EVALUACIÓN DE CONTROLES)

Figura 50. Archivo de Excel de la matriz de la APF.

III. VALORACIÓN DE RIESGOS VS. CONTROLES		IV. MAPA DE RIESGOS 2017				V. ESTRATEGIAS Y ACCIONES	
Valoración Final		UBICACIÓN EN CUADRANTES				Estrategia para Administrar el Riesgo	Descripción de la(s) Acción(es)
Grado de Impacto	Probabilidad de Ocurrencia	I	II	III	IV		

Figura 51. Archivo de Excel de la matriz de la APF.

No. de Riesgo	RIESGO	Clasificación del Riesgo	III. VALORACIÓN DE RIESGOS VS. CONTROLES	
			Valoración Final	
			GRADO DE IMPACTO	PROBABILIDAD DE OCURRENCIA

Figura 52. Archivo de Excel de la matriz de la APF.

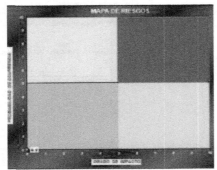

Figura 53. Archivo de Excel de la matriz de la APF.

A continuación, se observa un mapa de riesgos que se forma a partir de la valoración de los riesgos:

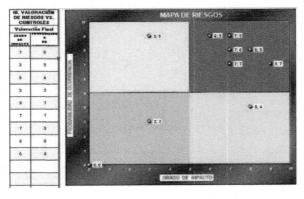

Figura 54. Ejemplo del mapa de riesgos elaborado a partir de la valoración de los riesgos.

Y finalmente se elabora el Programa de Trabajo de Administración de Riesgos (PTAR) y sus avances:

117

No. Riesgo	Descripción del Riesgo	Clasificación del Riesgo	Valor de Impacto	Valor de Probabilidad	Cuadrante	Estrategia	No. Factor de Riesgo

Figura 55. Elaboración del PTAR.

Enlace de Riesgos: _____

No. Factor de Riesgo	Factor de Riesgo	Descripción de la unidad de control	Unidad Administrativa	Responsable	Índice de Riesgo	Reflejo de Incidencia	Medios de señalización

Figura 56. Elaboración del PTAR.

El Análisis del Modo y Efecto de la Falla (AMEF)

El Análisis del Modo y Efecto de la Falla (AMEF) es una poderosa herramienta para la gestión de los riesgos asociados al diseño de un producto (AMEFD) y para el proceso (AMEFP) en donde se va a fabricar, aunque en épocas recientes su aplicación se ha ampliado a otros campos como el de la seguridad. Su objetivo principal es identificar y evaluar fallas potenciales y sus efectos; de la misma manera la metodología orienta hacia la identificación de acciones para eliminarlas o reducirlas.

Propósito de un AMEF es:

- Identificar los modos potenciales de falla y clasificar su severidad.
- Identificar características críticas y especiales.
- Jerarquizar deficiencias potenciales en diseño y en proceso.
- Ayudar al personal a enfocarse en eliminar riesgos de producto (AMEFD)/proceso (AMEFP).
- Actuar de manera preventiva ante fallas potenciales.

Algunos de los beneficios sobre el uso del AMEFD son los siguientes:

1. Optimizar las características del producto,

2. Reducir fallas potenciales en la funcionabilidad del producto,
3. Reducción de cambios en la línea de producción,
4. Reducir reclamaciones de cliente, entre otros.

Algunos de los beneficios sobre el uso del AMEFP son los siguientes:

5. Reducir rechazos de producto;
6. Reducir *scrap* o desperdicio;
7. Reducir reclamaciones de cliente;
8. Reducir tiempos muertos;
9. Optimizar el diseño del proceso;
10. Reducir retrabajos;
11. Contar con los puntos de control necesarios en el proceso;
12. Reducir retrasos en la entrega;
13. Evitar daños en el equipo o maquinaria;

Es esencial en el AMEF el cálculo el **Nivel de Prioridad de Riesgo (NPR)**, mismo que se calcula con la multiplicación de tres elementos:

1. Severidad (S),
2. Ocurrencia (O), y
3. Detección (D).

NPR = S x O x D

Modos de Falla para un AMEF:

- Definidos como la manera en que el proceso pudiera potencialmente fallar (en cumplir los requerimientos del proceso)
- Se hace la suposición de que la falla ocurrirá, pero no necesariamente ocurrirá

¿Cómo puede el proceso o parte fallar en cumplir las especificaciones?

Componente/ Operación	Función	Modo de Falla
Silla	Sentarse	Inestable, Rotura

Figura 57. Ejemplo de modos de falla para un AMEF.

Otros modos de falla pueden ser: Derrame, Corto circuito o Corrosión.

Como pueden observar, el modo de falla es muy similar en su concepción al peligro.

Efectos de Falla para un AMEF:

Es la consecuencia que puede traer consigo la ocurrencia de un modo de fallo (falla potencial)

¿Puede afectar la seguridad o la regulación relacionada?

Componente/ Operación	Función	Modo de Falla	Efecto
Silla	Sentarse	Inestable	Incomodidad Insatisfacción del cliente
		Rotura	Caída usuario con daños

Figura 58. Ejemplo de efectos de falla para un AMEF.

Otros efectos de la falla pueden ser: Daño en el equipo, Operador en peligro, Desgaste excesivo, Fuga, Ruido, Alta presión, Sin presión, etc.

Como podrán observar, el efecto de la falla es muy similar en su concepción a la consecuencia del peligro.

Para calcular los valores de *severidad*, *ocurrencia* y *detección* para el sector automotriz se utilizan las siguientes tablas; en caso de que se utilice en otros sectores, se debe poner atención en la adecuación de los valores similar a como se mencionó en la sección de las matrices de riesgo.

Normalmente los valores obtenidos del nivel de prioridad de riesgo igual o mayores a 70, se considera que representan un riesgo inaceptable, por lo que se deberá establecer un plan de acción para mejorar el NPR.

¿Y qué pasa si tengo varios modos de falla el NPR superiores a 70? Entonces una alternativa sería utilizar solamente la multiplicación de la *severidad* por la *ocurrencia*, lo que significa el nivel de riesgo similar al calculado en una matriz de riesgo normal, entonces, el valor obtenido marcaría la prioridad de atención.

Y para aquellas situaciones para las cuales se ha establecido un plan de acción, se requiere después de un periodo de tiempo, realizar un seguimiento para evaluar la efectividad de las acciones y para realizar la reevaluación del NPR, similar a lo comentado en la sección de matrices de riesgo. La diferencia en la evaluación del riesgo de esta metodología en comparación con las matrices es la utilización del tercer elemento llamado *detección*, por así decirlo la metodología castiga al sistema al no tener elementos para detectar el modo de falla, de tal suerte que aunque se tenga un valor relativamente bajo del resultado de multiplicar S x O, por ejemplo, S= 4 y O= 5, nos da un valor de riesgo de 20, no relevante, pero si no tengo algún elemento de control detectivo, entonces, para el sistema D sería igual a 9 o 10 y por lo tanto el valor de NPR sería 180 o 200 lo que significa un riesgo muy alto que requiere acciones inmediatas.

Metodologías para la evaluación-estimación del riesgo

Tabla 18. Sugerida para evaluar Severidad[77] en el cálculo del NPR (Número de Prioridad de Riesgo) del AMEF

Efecto	Criterio Severidad del efecto en el producto (diseño) (efecto en el cliente)	Rango	Efecto	Criterio Severidad del efecto en el proceso (efecto en el ensamble o manufactura)
Falla en seguridad y/o en requerimientos regulatorios	Modo de Falla Potencial afecta la operación del vehículo seguro y/o involucra no cumplimientos con organizaciones gubernamentales sin aviso o advertencia	10	Falla en seguridad y/o en requerimientos regulatorios	Puede poner en peligro al operador (maquina o ensamble) sin aviso
Falla en seguridad y/o en requerimientos regulatorios	Modo de Falla Potencial afecta la operación del vehículo seguro y/o involucra no cumplimientos con organizaciones gubernamentales con aviso o advertencia	9	Falla en seguridad y/o en requerimientos regulatorios	Puede poner en peligro al operador (maquina o ensamble) con aviso
Pérdida o degradación de la función primaria	Pérdida de la función primaria (vehículo inoperable, pero no afecta la operación segura del vehículo)	8	Ruptura (falla) mayor	100% del producto puede ser desechado la línea detenida y detener el embarque
Pérdida o degradación de la función primaria	Degradación de la función primaria (vehículo operable) pero a nivel reducido de desempeño	7	Ruptura (falla) significante	Una porción de producción puede ser desechada, desviación desde el proceso primario incluye un crecimiento en la velocidad de la línea o aumento en M.O.
Pérdida o degradación de la función secundaria	Pérdida de la función secundaria (vehiculó operable), pero inoperable en las funciones de confort/conveniencia	6	Ruptura (falla) moderada	100% de la producción puede ser retrabajada y aceptada
Pérdida o degradación de la función secundaria	Degradación de la función secundaria (vehículo operable, pero funciones de confort/conveniencia ha reducido nivel de desempeño	5	Ruptura (falla) moderada	Una porción de la producción puede ser retrabajada fuera de línea y aceptada
Molestia	Apariencia o ruido audible vehículo operable, característica no conforme y notada por la mayoría de los clientes (mayor al 75%)	4	Ruptura (falla) moderada	100% de la producción puede ser retrabajada en la estación antes de procesada
Molestia	Apariencia o ruido audible vehículo operable, característica no conforme y notada por la mayoría de los clientes (por muchos clientes 50%)	3	Ruptura (falla) minima	Una porción de la producción puede ser retrabajada en la estación antes de procesada
Molestia	Apariencia o ruido audible vehículo operable, característica no conforme y notada por clientes exigentes (menor al 25%)	2	Ruptura (falla) minima	Pequeña inconveniencia al proceso, a la operación o al operador
Sin efecto	Sin efecto discernible	1	Sin efecto	Sin efecto discernible

[77] Ford Motor Company, Chrysler LCC, General Motors Corporation. Potential Failure Mode and Effect Analysis (FEMEA). Reference Manual. Fourth Edition, June 2008. Nota: traducción libre por Daniela Martínez Vivanco y Oscar González Muñoz.

Tabla 19. Sugerida para evaluar Ocurrencia[78] en el cálculo del NPR (Número de Prioridad de Riesgo) del AMEF de Proceso.

Probabilidad d e falla	Criterio: Ocurrencia de la causa del AMEF de Proceso (Incidente sobre los artículos y vehículos)	Rango
Muy alta	> 100 por mil > 1 en 10	10
Alta	50 por mil 1 en 20	9
	20 por mil 1 en 50	8
	10 por mil 1 en 100	7
Moderado	2 por mil 1 en 500	6
	0.5 por mil 1 en 2,000	5
	0.1 por mil 1 en 10,000	4
Baja	.01 por mil 1 en 100,000	3
	< .001 por mil 1 en 1,000,000	2
Muy baja	La falla se elimina a través del control preventivo	1

También puede utilizar la siguiente tabla cuando involucre estudios potenciales de proceso[79].

---

[78] Ford Motor Company, Chrysler LCC, General Motors Corporation. Potential Failure Mode and Effect Analysis (FEMEA). Reference Manual. Fourth Edition, June 2008. Nota traducción libre por Daniela Martínez Vivanco y Oscar González Muñoz.
[79] Reyes Aguilar, Primitivo. Análisis del Modo y Efecto de Falla (PFMEA), febrero de 2007.

Tabla 20. Valores para estudios potenciales de proceso			
Probabilidad de Falla	Rangos posibles de falla	CPK	Calificación
Muy alto la falla es casi inevitable	$\geq$1 en 2	< 0.33	10
Alto: Generalmente asociadas con procesos similares a aquellos procesos anteriores que han fallado algunas veces	1 en 3	$\geq$ 0.33	9
	1 en 8	$\geq$ 0.51	8
	1 en 20	$\geq$ 0.67	7
Moderado: Generalmente asociadas con procesos similares a aquellos procesos anteriores que habían sufrido fallas ocasionales, pero no en proporciones mayores.	1 en 80	$\geq$ 0.83	6
	1 en 400	$\geq$ 1.00	5
	1 en 2,000	$\geq$ 1.17	4
	1 en 15,00	$\geq$ 1.33	3
Bajo: Fallas aisladas asociadas con procesos casi idénticos.	1 en 150,00	$\geq$ 1.50	2
Remoto: La falla es ocasional. No se tienen fallas registradas, asociadas con procesos casi idénticos.	$\geq$ 1 en 1,500,00	$\geq$ 1.67	1

Tabla 21. Sugerida para evaluar Detección[80] en el cálculo del NPR (Número de Prioridad de Riesgo) del AMEF de Diseño.

Oportunidad de Detección	Criterio: Probabilidad de detección por el control del proceso	Rango	Probabilidad de detección
No hay posibilidad de detección	Sin control de diseño actual; no se puede detectar o analizar	10	Casi imposible
No es probable detectar en cualquier etapa	Los Controles de análisis/detección de diseño tienen una capacidad de detección débil; El análisis virtual no está correlacionado con las condiciones operativas esperadas.	9	Muy remoto
Detección de problema Post diseño y antes del lanzamiento	La Verificación/validación del producto después de la detección de problema y antes del lanzamiento con la prueba de pasa/no pasa. (Prueba de sistema o subsistema con criterios de aceptación tales como como traslado y manejo, evaluación de envío, etc.).	8	Remoto
	La Verificación/validación del producto después de la detección de problema y antes del lanzamiento con la prueba a fallos. (Prueba de sistema o subsistema hasta que una falla ocurra, interacciones de la prueba del sistema, etc.).	7	Muy bajo
	La Verificación/validación del producto después de la detección de problema y antes del lanzamiento con la prueba de degradación. (Prueba de sistema o subsistema hasta después de la prueba de durabilidad, por ejemplo, chequeo de función).	6	Bajo
Detección del Problema antes del diseño	Validación del producto (pruebas de confiabilidad, desarrollo, y validación) antes de la detección de fallas en el diseño usando la prueba de pasa/no pasa (ejemplos: criterio de aceptación para desempeño, chequeos de funciones, etc.).	5	Moderado
	Validación del producto (pruebas de confiabilidad, desarrollo, y validación) antes de la detección de fallas en el diseño usando la prueba al fallo (ejemplo: hasta que se fugue, seda, se rompa, etc.).	4	Moderadamente alto
	Validación del producto (pruebas de confiabilidad, desarrollo, y validación) antes de la detección de fallas en el diseño usando la prueba de degradación (ejemplos: tendencias de datos, valores antes/después, etc.).	3	Alto
Análisis virtual correlacionado	Los controles de análisis/detección de diseño tienen una capacidad de detección elevada. El análisis virtual está altamente correlacionado con las condiciones de operación reales o esperadas antes de la detección de fallas en el diseño.	2	Muy alto

---

[80] Ford Motor Company, Chrysler LCC, General Motors Corporation. Potential Failure Mode and Effect Analysis (FEMEA). Reference Manual. Fourth Edition, June 2008. Nota traducción libre por Daniela Martínez Vivanco y Oscar González Muñoz.

Detección no es aplicable; prevención de errores	La causa de falla o el modo de fallo no puede ocurrir debido a que está completamente prevenido por medio de soluciones de diseño (ejemplos: estándar de diseño probado, material común o de mejor práctico, etc.).	1	Casi seguro

Tabla 22. Sugerida para evaluar Detección[81] en el cálculo del NPR (Número de Prioridad de Riesgo) del AMEF de Proceso.

Oportunidad de Detección	Criterio: Probabilidad de detección por el control del proceso	Rango	Probabilidad de detección
No hay posibilidad de detección	Sin control de proceso actual; no se puede detectar o analizar	10	Casi imposible
No es probable detectar en cualquier etapa	Modo de Falla y / o error (causa) no es fácil de detectar (por ejemplo: auditorías aleatorias).	9	Muy remoto
Detección de problema Post procesamiento	Detección del Modo Falla en estación del post-procesamiento por el operador a través de medios visuales/táctiles/audibles	8	Remoto
Detección del Problema en la fuente	Detección del Modo de Falla en la estación por el operador a través de medios visuales/ táctiles y audibles o post-procesamiento a través del uso de dispositivos de atributos (pasa/no pasa).	7	Muy bajo
Detección del problema Post procesamiento	Detección del Modo de Falla post- procesamiento por el operador a través del uso de dispositivos por variables o por controles automáticos en la estación por el operador es a través del uso del dispositivo de atributos (pasa / no pasa)	6	Bajo
Detección del Problema en la fuente	Detección del Modo de Falla o error (causa) en la estación por el operador a través del uso de dispositivos por variables o por controles automatizados en la estación que detectará partes discrepantes y notificar al operador (con luz, timbre, etc.). Medición realizada en la instalación y verificación de primera pieza (solamente para el establecimiento de Causas).	5	Moderado
Detección del problema Post procesamiento	Detección del Modo de Falla post- procesamiento por controles automatizados que detectarán partes discrepantes y partes seguras en la estación procesamiento posterior	4	Moderadamente alto
Detección del Problema en la fuente	Detección del Modo de Falla por controles automatizados que detectarán partes discrepantes y automáticamente partes seguras para prevenir procesamiento posterior	3	Alto
Detección de errores y/o prevención de problemas	Detección del Error (causa) por controles automatizados que detectarán el error y prevendrán que se fabriquen partes discrepantes	2	Muy alto

---

[81] Ídem

Detección no es aplicable; prevención de errores	Prevención del Error (causa) como un resultado de un diseño de instalaciones, diseño de máquina o el diseño de la parte. Partes discrepantes no se pueden fabricar porque el artículo ha sido a prueba de errores por diseño de proceso o producto	1	Casi seguro

Metodologías para la evaluación-estimación del riesgo

Formato tradicional del Análisis del Modo y Efecto de la Falla[82]
(AMEF de Proceso)

Tema: _____

Año(s) del programa del modelo: _____

Equipo Central: _____

Responsable del Proceso: _____

Fecha clave: _____

No. De AMEF: _____

Página _____ de _____

Preparado por: _____

Fecha de AMEF (Origen): _____

Pasos Del pro- Ceso	Requeri mientos	Probabilidad de falla	Efectos de la falla	Severidad	Clasificación	Causas de la falla	Proceso actual					Acción recomendada	Responsabilidad y objetivo	Resultados				
							Controles Prevención	Ocurrencia	Controles Detección	Detección	RPN			Acciones realizadas	Severidad	Incidente	Detección	RPN
Función																		

Figura 59. Formato tradicional de un AMEF de proceso.

[82] Ford Motor Company, Chrysler LCC, General Motors Corporation. Potential Failure Mode and Effect Analysis (FEMEA). Reference Manual. Fourth Edition, June 2008. Nota traducción libre por Daniela Martínez Vivanco y Oscar González Muñoz.

Metodologías para la evaluación-estimación del riesgo

Figura 60: Ejemplo de un AMEF de Proceso[83]

Tema: _____

Año(s) del programa del modelo: _____

Equipo Central: _____

Responsable del Proceso: _____

Fecha clave: _____

No. De AMEF: _____

Página _____ de _____

Preparado por: _____

Pasos Del Proceso / Función	Requerimientos	Probabilidad de falla	Efectos de la falla	Severidad	Clasificación	Causas de la falla	Controles Prevención	Controles Ocurrenci	Controles Detección	Detección	RPN	Acción recomendada	Responsabilidad y objetivo	Acciones realizadas	Severidad	Incidente	Detección	RPN
Op. 70: Manual de aplicación de cera dentro del panel de la puerta	Cubra la puerta interior, superficie inferiores con cera del espesor especifico	Cobertura de cera insuficiente sobre las superficies especificadas	Permite una brecha del panel de la puerta interior. Paneles de las puertas inferiores interiores corroidas	7		Cabeza del aspersor insertado manualmente no insertado lo suficiente	Ninguno	8	Verificar variables para el espesor de la película. Verificación visual de la cubierta	5	280	Definir una distancia para introducir el rociador	Ingenieria Por 0x 10 15	Distancia establecida. Verificación del roseado en linea	7	2	5	7 0
												Automalizar el roseado	Ingenieria por 0x 12 15					
			El deterioro de la vida de la puerta conduce a: - Apariencia insatisfactorio debido al desgaste de la pintura en el tiempo - Función deteriorada del hardware de la puerta interior			Cabeza del aerosol obstruida: -Viscosidad muy alta - Temperatura es muy baja -Presión muy baja	Probar el aerosol: inicio y despues de periodos de inactividad y seguir el programa de mantenimient o preventivo para limpiar los cabezales	5	Verificar variables para el espesor de la película. Verificación visual de la cubierta	5	175	Uso de diseño de experimentos en viscosidad contra tiempo contra presión	Ingenieria por 0x 10 01	Rechazo debido a la complejidad de las diferentes puertas de la misma linea	7	1	5	3 5
						Cabeza del aerosol deformada debido a un impacto	Programa de mantenimient o preventivo para cuidar los cabezales	2	Verificar variables: espesor de la película. Verificación visual de la cubierta	5	70	Ninguno		Los limites de la temperatura y presión se determinaron y los controladores de los limites han sido instalados. Las cartas de control muestran un proceso controlado Cpk = 1.85				
						No rosear tiempo suficiente	Ninguno	5	Instrucciones al operador. Verificación visual: muestreo de cubierta: áreas criticas	7	245	Instalar un temporizador del spray	Mantenimiento XX/XX/XX	El temporizador automático del spray instalado. El operador inicia el rociado, los controles del temporizador se apagan. Las cartas de control muestran un proceso en control Cpk = 2.05	7	1	7	4 9

Anexos
Anexo 1. Introducción a los modelos de control interno
¿Qué es control interno?

El control interno es un sistema, esto es, un conjunto de elementos que se relacionan e interactúan para lograr un fin particular, generalmente asociado el control financiero-contable, administrativo y operativo de las organizaciones.

Santillana (2015) habla de control interno como aquel que:

> comprende el plan de organización y todos los métodos y procedimientos que en forma coordinada adoptan la dirección general, los responsables del gobierno y otro personal de la entidad para salvaguardar sus activos y documentación relevante; asegurar la razonabilidad y confiabilidad de su información financiera y presupuestal, y la competencia administrativa y operacional; promover la eficiencia operativa; y estimular el acatamiento y adhesión a la legislación, normatividad y a las políticas prescritas por la administración. Es un proceso que incluye las actividades que llevan a cabo todos los miembros de una entidad económica para proporcionar una seguridad razonable en el cumplimiento de los objetivos institucionales.

El Instituto Mexicano de Contadores Públicos define al Control Interno como[84]: *el proceso diseñado para proveer una seguridad razonable en relación con el logro de los objetivos de la organización.*

El control interno persigue ciertos objetivos:

1. Objetivos del sistema contable.
2. Objetivos de autorización.
3. Objetivos de procesamiento y clasificación de transacciones.
4. Objetivos de verificación y evaluación.
5. Objetivos de salvaguarda física.

Y también Santillana comenta ciertos objetivos específicos de control interno[85]:

- Estimular el acatamiento y adhesión a la legislación, normatividad y a las políticas prescritas por la administración.
- Promover la eficiencia operativa.
- Asegurar la razonabilidad y confiabilidad de la información financiera y presupuestal, y la complementaria administrativa y operacional.
- Salvaguardar los activos y la documentación relevante.

---

[84] González, J. (2008). Control Interno – COSO. México: IMCP. p.4. Recuperado de: http://www.imcp.org.mx/IMG/pdf/boletin_abril8.pdf
[85] Santillana (2015). *Sistemas de control interno*. México: Pearson Educación. Pp. 55-58

En términos generales, los elementos esenciales del control interno administrativo son:

- Organización,
- Procedimientos, y
- Personal.

Committee of Sponsoring Organizations of the Treadway Commission (COSO)

COSO son las siglas con las que se conoce a la Committee of Sponsoring Organizations of the Treadway Commission o bien Comité de Organizaciones Patrocinadoras de la Treadway Commission y se crea a partir de la generación de un reporte de información financiera: Es el proceso diseñado para proveer una seguridad razonable en relación con el logro de los objetivos de la organización, lo anterior como consecuencia de una serie de eventos desafortunados involucrados con fraudes.

COSO en su portal define su propósito como: el dedicase a proveer a través del liderazgo el desarrollo de marcos de referencia comprensivos y apoyo en control interno, gestión del riesgo en la empresa, y disuasión del fraude para mejorar el desempeño organizacional y control para reducir el alcance del fraude en las organizaciones.

COSO desde finales de los años ochenta y principios de los noventa como parte de sus funciones emite una serie de documentos que dan forma al control interno o bien dicho al marco integral del control interno, entre los más sobresalientes:

COSO I Marco Integrado de Control Interno
COSO II ERM
COSO III Marco Integrado de Control Interno [PYMES]
Y un documento de los más recientes es el COSO ERM 2017.

En estos documentos se pueden encontrar los elementos para evaluar e informar de las características del control interno de las organizaciones; de la misma manera, a través de sus lineamientos busca que la alta dirección tenga un nivel alto de responsabilidad en el funcionamiento del control interno. También podemos encontrar un sistema para la gestión de riesgos llamado ERM que se comentará más adelante.

El COSO, como sistema, por sus características mismas funciona como una gran herramienta que permite a las organizaciones que lo adoptan administrar sus actividades relevantes, así como sus riesgos e información financiera. El COSO por lo tanto promueve que las organizaciones eleven su probabilidad de lograr sus objetivos dentro de un marco que les permita prevenir fraudes financieros.

Los objetivos del COSO[86]:

---

[86] Ídem. p. 79

Objetivos operacionales. Se refieren a la eficiencia y eficacia de las operaciones realizadas en y por la entidad, incluyendo las metas operacionales y financieras, y la salvaguarda de activos contra pérdidas.
Objetivos de reporte. Aluden a los reportes financieros y no financieros, y pueden abarcar su confiabilidad, oportunidad, transparencia y otros términos establecidos por organismos reguladores; y reconocimiento de normatividad aplicable y políticas de la entidad.
Objetivos de cumplimiento. Son los relativos a la adherencia y cumplimiento de la legislación y regulaciones a que está sujeta la entidad.

El modelo COSO I tiene Siete Fases:

- Recopilación de información.
- Entrevistas individuales.
- Cuestionario.
- Grupos de trabajo.
- Presentación del informe.
- Pruebas.
- Segunda presentación y reuniones.

La siguiente tabla ilustra en resumen los cinco componentes y diecisiete principios que componen el modelo de control interno según COSO.

Tabla 23. Componentes y principios del control interno	
Componente	Principio
Ambiente de control	1. Demostración de compromiso con la integridad y los valores éticos 2. Ejercer vigilancia sobre las responsabilidades 3. Establecimiento de una estructura organizacional, autoridad y responsabilidades 4. Demostración de compromiso por allegarse de personal competente 5. Asignación de responsabilidades
Evaluación de Riesgos	6. Especificación de objetivos 7. Identificación y análisis de riesgos 8. Evaluación de riesgos de fraude 9. Identificación y análisis de cambios relevantes
Actividades de Control	10. Selección y desarrollo de actividades de control 11. Selección y desarrollo de controles generales para la tecnología 12. Desplegar actividades de control a través de políticas y procedimientos
Información y Comunicación	13. Utilización de información relevante 14. Comunicación interna 15. Comunicación externa
Supervisión (monitoreo)	16. Evaluaciones sobre la marcha y en forma individual 17. Evaluación y comunicación de deficiencias

Tabla de creación propia a partir de la información de Santillana (2015)
El cubo COSO

Figura 61. El cubo COSO, imagen tomada de Sistema de control interno de Santillana

Como organización es prolífica ya que en años recientes ha incursionado en otros campos que no son los tradicionales contable-financieros, como ejemplo, en febrero de 2019 anunciaron la edición de una guía del ERM aplicado a la industria de proveedores de cuidado de la salud.

Coso ERM 2017.

Ahora bien, de manera particular, el modelo COSO ERM 2017 contempla un modelo para la gestión de riesgos empresariales:

Figura 62. Tomada del COSO ERM Executive Summary

FLUJO DE PROCESO COSO ERM 2017

Figura 63.Tomada del COSO ERM Executive Summary

Tabla 24. 5 componentes y 20 principios fundamentales COSO ERM 2017[87]

Gobierno y Cultura	Estrategia y Establecimiento de objetivos	Desempeño	Evaluación y revisión	Información, Comunicación y Reporte
1. El consejo proporciona supervisión del riesgo 2. La organización establece la estructura Operativa 3. La organización establece cultura deseada 4. La organización demuestra compromiso con los valores fundamentales 5. Atraer, desarrollar y retener personal capacitado	6. Analiza contexto de negocio 7. Define el apetito por el riesgo 8. Evalúa estrategias alternativas 9. Formula objetivos de negocio	10. Identifica el riesgo 11. Evalúa la severidad del riesgo 12. Prioriza el riesgo 13. Implementa respuesta ante el riesgo 14. Desarrolla un portafolio	15. Evalúa el cambio sustancial 16. Revisa el riesgo y desempeño 17. Persigue el mejoramiento de la gestión de riesgos	18. Aprovechar información y tecnología 19. Comunica información sobre el riesgo 20. Información sobre el riesgo, la cultura y el desempeño

Tomado de: COSO ERM Executive Summary

COSO establece la definición de gestión de riesgos corporativos como[88]:

> La gestión de riesgos corporativos es un proceso efectuado por el consejo de administración de una entidad, su dirección y restante personal, aplicable a la definición de estrategias en toda la empresa y diseñado para identificar eventos potenciales que puedan afectar a la organización, gestionar sus riesgos dentro del riesgo aceptado y proporcionar una seguridad razonable sobre el logro de los objetivos.

Además, establece una serie de capacidades para la gestión de riesgos corporativos[89]:

---

[87] COSO. (2017). COSO ERM Executive Summary (documento traducido al español).
[88] Idem
[89] COSO (2017) Resumen ejecutivo. Tomado del https://www.coso.org/Documents/COSO-ERM-Executive-Summary-Spanish.pdf

a. **Alinear el riesgo aceptado y la estrategia**. En su evaluación de alternativas estratégicas, la dirección considera el riesgo aceptado por la entidad, estableciendo los objetivos correspondientes y desarrollando mecanismos para gestionar los riesgos asociados.

b. **Mejorar las decisiones de respuesta a los riesgos**. La gestión de riesgos corporativos proporciona rigor para identificar los riesgos y seleccionar entre las posibles alternativas de respuesta a ellos: evitar, reducir, compartir o aceptar.

c. **Reducir las sorpresas y pérdidas operativas**. Las entidades consiguen mejorar su capacidad para identificar los eventos potenciales y establecer respuestas, reduciendo las sorpresas y los costes o pérdidas asociados.

d. **Identificar y gestionar la diversidad de riesgos para toda la entidad**. Cada entidad se enfrenta a múltiples riesgos que afectan a las distintas partes de la organización y la gestión de riesgos corporativos facilita respuestas eficaces e integradas a los impactos interrelacionados de dichos riesgos.

e. **Aprovechar las oportunidades**. Mediante la consideración de una amplia gama de potenciales eventos, la dirección está en posición de identificar y aprovechar las oportunidades de modo proactivo.

f. **Mejorar la dotación de capital**. La obtención de información sólida sobre el riesgo permite a la dirección evaluar eficazmente las necesidades globales de capital y mejorar su asignación.

El enfoque de este modelo está orientado a la consecución de los siguientes tipos de objetivos en las organizaciones:

Objetivos Estratégicos: Objetivos a alto nivel, alineados con la misión de la entidad y dándole apoyo

Objetivos Operacionales: Objetivos vinculados al uso eficaz y eficiente de recursos

Objetivos Informativo: Objetivos de fiabilidad de la información suministrada

Objetivos de Cumplimiento: Objetivos relativos al cumplimiento de leyes y normas aplicables

Define ocho componentes para la gestión de riesgos corporativos:

1. Ambiente interno
2. Establecimiento de objetivos
3. Identificación de eventos
4. Evaluación de riesgos
5. Respuesta al riesgo
6. Actividades de control
7. Información y comunicación
8. Supervisión

Recientemente COSO editó en el 2018 una aplicación del ERM con alcance ambiental, social y relacionados con la gobernanza (ESG por sus siglas en inglés) y para simplificar sólo se ilustra un esquema en donde se puede observar los tres pilares del modelo, los diez temas principales asociados a esos pilares, así como las 37 cuestiones claves del ESG[90]:

3 pilares	10 temas	37 asuntos claves del ESG
Ambiente	Cambio climático	Emisiones de carbono Presencia de carbono en productos Financiar el impacto ambiental Vulnerabilidad al cambio climático
	Recursos naturales	Escasez de agua Biodiversidad y uso de suelo Obtención de materias primas
	Contaminación y desperdicios	Emisiones tóxicas y desperdicios Material de empaque y desperdicios Desperdicios electrónicos
	Oportunidades ambientales	Oportunidades en tecnológicas limpias Oportunidades en tecnologías renovables
Social	Capital humano	Gestión de los labores Salud y seguridad Desarrollo de capital humano Estándares laborales
	Responsabilidad con el producto	Seguridad en los productos y calidad Seguridad química Seguridad financiera en el producto Privacidad y seguridad en los datos Inversión responsable Salud y riesgo demográfico
	Oposición de la parte interesada	Abastecimiento controversial
	Oportunidades sociales	Acceso a comunicaciones Acceso a finanzas Acceso al cuidado de la salud Oportnidades en nutrición y salud
Gobernabildad	Gobernabilidad corportativa	Mesa directiva Pago Propiedad Rendición de cuentas

Tabla 25. Asuntos y temas del ESG MSCI[91]

---

[90] COSO (2018). Enterprise Risk Management Applying enterprise risk management to environmental, social and governance-related risks (ESG).COSO. Tomado de: https://www.coso.org/Documents/COSO-WBCSD-ESGERM-Executive-Summary.pdf

[91] MSCI Inc. es un ponderador estadounidense de fondos de capital inversión, deuda, índices de mercados de valores, de fondos de cobertura y otras herramientas de análisis de carteras. Publica el MSCI BRIC, MSCI World, MSCI Europe y MSCI EAFE

Continuación... Tabla 25. Asuntos y temas del ESG MSCI		
3 pilares	10 temas	37 asuntos claves del ESG
Gobernabildad	Comportamiento de la gobernabildiad	Ética empresarial Prácticas anticompetitivas Transparencia en los impuestos Corrupción e inestabilidad Inestabilidad del sistema financiero

COSO en la APF (México)

El Modelo de Control Interno del COSO ha tenido tanta aceptación que se ha adoptado en muchos países y en más organizaciones, tan es así que en la Administración Pública Federal en México se adoptó como parte de las estrategias de mejora y control necesarias para mejorar la gestión pública; a continuación, se muestran los antecedentes del modelo de control interno COSO en México en la tabla siguiente[92]:

Tabla 26. Antecedentes del modelo COSO en México	
11 de abril 2003	Guía para intervenciones de control enfocadas a la evaluación de riesgos
20 abril 2004	Guía General para revisiones de control
26 de abril 2004	Modelo de Administración de Riesgos para la elaboración del P.A.A.C. de los O.I.C.
30 marzo 2006	Ley de Presupuesto y Responsabilidad Hacendaria: Riesgos y evaluación del desempeño
27 septiembre 2006	DOF. Se publica las NGCI.
Abril 2007	Guía para la elaboración del Informe Anual del estado que guarda el Control Interno Institucional.
Abril, 2008	Guía de Aplicación del Modelo de Administración de Riesgos para la Planeación, Programación y Elaboración del Programa Anual de Auditoría y Control de los Órganos Internos de Control
2009	Se emite la Encuesta para el Control Interno Institucional
12 julio de 2010	Disposiciones en Materia de Control Interno y se expide el Manual Administrativo de Aplicación General en Materia de Control Interno
2014	Publicación del Marco Integrado de Control Interno para el Sector Público
3 de noviembre de 2016	Disposiciones y el Manual Administrativo de Aplicación General en Materia de Control Interno (de aquí y en adelante se mencionará como Manual del Control Interno).

[92] Secretaría de la Función Pública. MODELO DE ADMINISTRACIÓN DE RIESGOS (2009)... Recuperado de: https://es.scribd.com/doc/139304640/20090826-admon-riesgos. (Tabla actualizada por el autor mediante documentos varios)

El Manual de Control Interno (MCI) se publicó como el Marco Integrado de Control Interno para el Sector Público (MICI), basado en el Marco COSO 2013, como un modelo general de control interno, para ser adoptado y adaptado por las instituciones en los ámbitos Federal, Estatal y Municipal, mediante la expedición de los decretos correspondientes. En realidad, se podría decir que es el resultado de diferentes administraciones para mejorar los resultados, mejorar el desempeño de las entidades y mejorar el nivel de servicios que se presta a la ciudadanía.

En este MCI se reconoce como *riesgo* a:

> *el evento adverso e incierto (externo o interno) que derivado de la combinación de su probabilidad de ocurrencia y el posible impacto pudiera obstaculizar o impedir el logro de las metas y objetivos institucionales.*

El contenido genérico de este Manual de Control Interno es el siguiente

1. **Objetivo del Control Interno.** El control interno tiene como objetivo proporcionar una seguridad razonable en el logro de objetivos y metas de la Institución dentro de las siguientes categorías: Operación, Cumplimiento, Salvaguarda.
2. **Normas Generales, Principios y Elementos de Control Interno:**
   Primera. Ambiente de Control
   Segunda. Administración de Riesgos
   Tercera. Actividades de Control
   Cuarta. Información y Comunicación
   Quinta. Supervisión y Mejora Continua

Derivado de estos componentes, las entidades públicas dentro del ámbito federal se ven en la necesidad de determinar los riesgos institucionales registrados en una matriz de riesgos (como se comentó en la sección de matrices de riesgo) y en un programa de trabajo llamado Programa de Trabajo del Análisis de Riesgo (PTAR) que permita el tratamiento y control de los mismos.

Control Objectives for Information and related Technology (COBIT)

La información actualmente se considera como un recurso de mucha valía al interior de las organizaciones. La información se crea, se transforma, se comunica y con ella, entre otras cosas, se parte para la toma de decisiones. La tecnología en la actualidad es el soporte para poder lograr que la información logre sus propósitos amén de que cubre gran parte de nuestras actividades tanto en la vida personal como profesional. Entonces, en las organizaciones se necesita de un sistema de control interno que garantice en términos de Tecnologías de la Información (TI), su uso correcto de tal suerte que, ellas ayuden a eficientar la gestión de la información, las comunicaciones y los propios resultados de la organización.

Considerando entones las necesidades de las organizaciones respecto de las TI, la organización ISACA (Information Systems Audit and Control Association), a través de su Fundación, publicó en 1996 el COBIT, como resultado de cuatro años de intensa investigación y del trabajo de un gran equipo de expertos internacionales. Siendo está metodología el marco de una definición de estándares y conducta profesional para la gestión y el control de los Sistemas de información (SI), en todos sus aspectos, unificando diferentes estándares, métodos de evaluación y controles anteriores. Adicionalmente, esta metodología aporta la orientación hacia el negocio y está diseñada no solo para ser utilizada por usuarios y auditores, sino también como una extensa guía para gestionar los procesos de negocios.

En la actualidad ISACA ha desarrollado COBIT 5 como el modelo actual del control interno de aplicación a las TI, el cual representa el nuevo marco de referencia para que las organizaciones, no importando el giro de la organización porque el COBIT es de aplicación genérica, puedan conseguir sus objetivos y se pueda obtener un valor agrado a través de un gobierno y administración efectiva de la TI de la organización que decida aplicarlo[93]:

COBIT 5 permite que las tecnologías de la información y relacionadas se gobiernen y administren de una manera holística a nivel de toda la Organización, incluyendo el alcance completo de todas las áreas de responsabilidad funcionales y de negocios, considerando los intereses relacionados con la TI de las partes interesadas internas y externas.

Los beneficios que indica ISACA sobre el uso del COBIT son los siguientes[94]:

- Mantener información de calidad para apoyar las decisiones del negocio.
- Generar un valor comercial de las inversiones habilitadas por la Tecnología de la Información (TI), o sea: lograr metas estratégicas y mejoras al negocio mediante el uso eficaz e innovador de la TI.
- Lograr una excelencia operativa mediante la aplicación eficiente y fiable de la tecnología.
- Mantener el riesgo relacionado con TI a niveles aceptables.
- Optimizar el costo de la tecnología y los servicios de TI.

Sus compontes son cinco principios y siete habilitadores:

Principios:

1. Satisfacer las necesidades de las partes interesadas
2. Cubrir la organización de manera integral (Enfoque al Negocio y su Contexto para toda la organización)
3. Aplicar sólo un Marco Integrador
4. Habilitar un enfoque holístico
5. Separar el Gobierno y la Administración

Habilitadores:

1. Principios, políticas y Marcos,
2. Procesos,
3. Estructuras organizacionales
4. Cultura, ética y comportamiento,
5. Información,
6. Servicios, infraestructura y aplicaciones, y
7. Personas, habilidades y competencias.

---

[93] COBIT. Material adicional de COBIT 5 - Introducción. Tomado de http://www.isaca.org/COBIT/Pages/COBIT-5-spanish.aspx p. 6
[94] Ídem p. 4

La figura siguiente muestra la interrelación entre estos habilitadores, que por así decirlo son interdependientes:

Figura 64. Tomado de COBIT 5 Introducción

Dentro de la familia actual del COBIT 5 se tiene el módulo particular COBIT 5 para riesgos, el cual permite[95]:

1. Una mejor comprensión del impacto actual estado y riesgo en toda la empresa a las partes interesadas
2. Orientación sobre cómo manejar el riesgo a niveles, incluyendo un amplio conjunto de medidas
3. Orientación sobre cómo establecer una cultura de riesgo apropiadas para la empresa
4. Evaluaciones de riesgo cuantitativo que permiten a las partes interesadas a considerar el coste de la mitigación y los recursos necesarios contra la exposición de pérdidas
5. Oportunidades para integrar la gestión de riesgos de TI con riesgo empresarial
6. Mejorar la comunicación y el entendimiento entre todos los actores internos y externos

El objetivo específico de este documento es ayudar a *mejorar el rendimiento del negocio mediante la vinculación de los riesgos de información y tecnología con los objetivos estratégicos de la empresa.* Objetivo totalmente alineado a lo que se ha comentado sobre la ISO 31000.

El COBIT 5 reconoce como definición de riesgo a *la combinación de la probabilidad de un evento y sus consecuencias.* Como se puede apreciar coincide con algunas definiciones tradicionales de riesgo comentados en la sección propia de definiciones de este trabajo. Y particularmente a su enfoque *COBIT 5 para riesgo* define al *riesgo para el negocio* como el *riesgo del negocio asociado con el uso, propiedad, operación, implicación, influencia y adopción de TI dentro de una empresa.*

---

[95] Product detial COBIT 5 for Risk. Tomado de: https://www.isaca.org/bookstore/Pages/Product-Detail.aspx?Product_code=WCB5RKS

Anexo 2. Introducción al riesgo operativo (financiero)

La necesidad de dar tratamiento al riesgo operativo se encuentra principalmente en las instituciones financieras y desde finales de la década de los años ochenta, se han establecido diferentes acuerdos, circulares y disposiciones en esta materia, entre ellos se encuentra el Acuerdo de Basilea, llamado Basilea II. En México se cuenta con varios documentos al respecto, entre ellos la circular 1423 de la Comisión Nacional Bancaria y de Valores (CNBV). Todos los documentos tienen a bien orientar a las instituciones financieras, en algunos casos son de aplicación obligatoria,

El riesgo operativo u operacional es según Basilea II[96]:

> el riesgo de pérdida resultante de procesos internos inadecuados o fallidos, personas y sistemas o de eventos externos. Esta definición incluye el riesgo legal, pero excluye el riesgo estratégico y de reputación.

La definición de la CNBV resulta ciertamente más completa[97]:

> La pérdida potencial por fallas o deficiencias en los controles internos, por errores en el procesamiento y almacenamiento de las operaciones o en la transmisión de información, así como por resoluciones administrativas y judiciales adversas, fraudes o robos y comprende, entre otros, al riesgo tecnológico y al riesgo legal.

Como se puede observar, las definiciones nos remiten a considerar que las instituciones financieras tienen un objetivo común con las organizaciones o instituciones en otras áreas o sectores, esto es, que buscan eficientar sus operaciones, reducir pérdidas y mejorar el desempeño de manera que se esté siempre en posibilidad de alcanzar los objetivos planificados; podríamos sumar dentro de sus objetivos específicos el de reducir el requerimiento de capital por riesgo operativo. Quizá lo que las hace diferentes es que su principal activo es el dinero, en sus diferentes formas; ellas captan recursos monetarios de diferentes fuentes ya sea del sector privado o público y realizan diferentes tareas financieras.

En México, la clasificación de riesgos adoptada por la CNBV que pueden afectar a una institución de crédito en cuantificables y no cuantificables (Román, 2018)[98] como se muestra en la figura 65:

---

[96] Comité de Basilea de Supervisión Bancaria. (2006). Basilea II. Convergencia Internacional de la Medida del Capital y Estándares: Un marco de referencia revisado. p. 144.

[97] Comisión Nacional Bancaria y de Valores. (2018*). Disposiciones de Carácter General Aplicables a las Instituciones de Crédito.* México. pp. 34. Recuperado de: https://www.cnbv.gob.mx/Normatividad/Disposiciones%20de%20car%C3%A1cter%20general%20aplicables%20a%20las%20instituciones%20de%20cr%C3%A9dito.pdf

[98] Román, A. (2017). Administración del riesgo operacional (manual de curso). p. 9

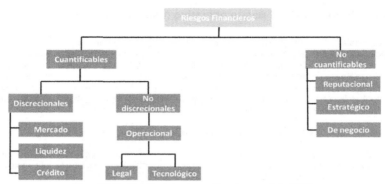

Figura 65. Clasificación de los riesgos financieros según la CNBV.

En adición, en la Circular Única de Bancos[99] (CUB) de la CNBV se establecieron las siguientes definiciones:

Riesgos cuantificables, que son aquéllos para los cuales es posible conformar bases estadísticas que permitan medir sus pérdidas potenciales.

a) **Riesgos discrecionales**, que son aquellos resultantes de la toma de una posición de riesgo, tales como el:

a. **Riesgo de crédito o crediticio**, que se define como la pérdida potencial por la falta de pago de un acreditado o contraparte en las operaciones que efectúan las Instituciones, incluyendo las garantías reales o personales que les otorguen, así como cualquier otro mecanismo de mitigación utilizado por las Instituciones.

b. **Riesgo de liquidez**, que se define como la incapacidad para cumplir con las necesidades presentes y futuras de flujos de efectivo afectando la operación diaria o las condiciones financieras de la Institución.

c. **Riesgo de mercado**, que se define como la pérdida potencial por cambios en los Factores de Riesgo que inciden sobre la valuación o sobre los resultados esperados de las operaciones activas, pasivas o causantes de pasivo contingente, tales como tasas de interés, tipos de cambio e índices de precios, entre otros.

---

[99] Comisión Nacional Bancaria y de Valores. (2018). *Disposiciones de Carácter General Aplicables a las Instituciones de Crédito.* México.pp.184-186. Recuperado de: https://www.cnbv.gob.mx/Normatividad/Disposiciones%20de%20car%C3%A1cter%20general%20aplicables%20 a%20las%20instituciones%20de%20cr%C3%A9dito.pdf

Riesgos no discrecionales, que son aquellos resultantes de la operación del negocio, pero que no son producto de la toma de una posición de riesgo.

Riesgo operacional, que se define como la pérdida potencial por fallas o deficiencias en los controles internos, por errores en el procesamiento y almacenamiento de las operaciones o en la transmisión de información, así como por resoluciones administrativas y judiciales adversas, fraudes o robos, y comprende, entre otros, al riesgo tecnológico y al riesgo legal.

Riesgo tecnológico se define como la pérdida potencial por daños, interrupción, alteración o fallas derivadas del uso o dependencia en el hardware, software, sistemas, aplicaciones, redes y cualquier otro canal de distribución de información en la prestación de servicios bancarios con los clientes de la Institución.

Riesgo legal se define como la pérdida potencial por el incumplimiento de las disposiciones legales y administrativas aplicables, la emisión de resoluciones administrativas y judiciales desfavorables y la aplicación de sanciones, en relación con las operaciones que las Instituciones llevan a cabo.

Riesgos no cuantificables, que son aquellos derivados de eventos imprevistos para los cuales no se puede conformar una base estadística que permita medir las pérdidas potenciales:

Riesgos Estratégicos
El riesgo estratégico que se define como la pérdida potencial por fallas o deficiencias en la toma de decisiones, en la implementación de los procedimientos y acciones para llevar a cabo el modelo de negocio y las estrategias de la Institución, así como por desconocimiento sobre los riesgos a los que esta se expone por el desarrollo de su actividad de negocio y que inciden en los resultados esperados para alcanzar los objetivos acordados por la Institución dentro de su plan estratégico.

Riesgos de negocio
El riesgo de negocio, que se define como la pérdida potencial atribuible a las características inherentes del negocio y a los cambios en el ciclo económico o entorno en el que opera la Institución.

Riesgo Reputacional
Riesgo de reputación, que se define como la pérdida potencial en el desarrollo de la actividad de la Institución provocado por el deterioro en la percepción que tienen las distintas partes interesadas, tanto internas como externas, sobre su solvencia y viabilidad.

La gestión de riesgos operacionales se asemeja a lo comentado en la norma ISO 31000, con ciertas variaciones, Roman (2017) menciona un ciclo de tres etapas[100]:

1. Identificación de riesgos [peligros], que busca clasificar los riesgos por su frecuencia e impacto económico,
2. Mitigación y control, que busca establecer prioridades y atender los riesgos más relevantes, y
3. Seguimiento, que incluye el registro de eventos, y monitorear el efecto de las acciones de mitigación y control, así como generar indicadores clave de riesgo.

Se podría mejorar este ciclo incluyendo algunos elementos de la norma ISO 31000, tanto en el establecimiento del marco de referencia como en la incorporación de elementos del proceso de la evaluación del riesgo.

El modelo de las 3 líneas de defensa vs riesgos operacionales

Román (2017) menciona que *en las instituciones bancarias y financieras la tarea de administrar los riesgos operacionales es realizada por diferentes áreas para elevar la probabilidad de identificarlos,* como se ilustra en la siguiente figura[101]:

Figura 66. Tomada de Administración del riesgo operacional de Agustín Román A.

Y la parte medular por requerimiento de Basilea II es el cálculo de capital por riesgo operacional mediante tres métodos:

1. Método del indicar básico,
2. Método estándar y alternativo, y
3. Método de medición avanzado.

---

[100] Román, A. (2017). Administración del riesgo operacional (manual de curso). p. 20
[101] Ídem p. 21

Anexo 3. Gestión de riesgos para el Modelo Nacional para la Competitividad de México.

En México se cuenta con el Modelo Nacional para la Competitividad y aquellas organizaciones que desarrollan de manera exitosa sus elementos se puede hacer acreedores al Premio Nacional de Calidad.

El modelo establece una serie de impulsores que deberán ser desarrollados al interior de las organizaciones interesadas en mejorar sus niveles de calidad y competitividad[102]:

a. Reflexión Estratégica. Las organizaciones de excelencia se anticipan y responden de manera ágil y flexible a los cambios en su entorno para asegurar su competitividad en el mediano plazo para con ello, hacer realidad su misión y visión.

b. Liderazgo. Las organizaciones de excelencia se caracterizan por un liderazgo que establece el rumbo estratégico de manera incluyente para desarrollar una cultura de alto desempeño, cambio e innovación que impulse la competitividad presente y futura de la organización.

c. Responsabilidad Social Empresarial. Las organizaciones de excelencia establecen soluciones innovadoras para asegurar la eliminación del impacto ambiental de su operación y contribuir a la solución de los requerimientos de la comunidad, sus clientes y rendir cuentas a la sociedad.

d. Enfoque al Cliente. Las organizaciones de excelencia generan una propuesta de valor innovadora, centrada en el cliente que se comunica y promueve en el mercado a través del plan de comercialización.

e. Capital Humano. Las organizaciones de excelencia establecen un ambiente que cultiva la inclusión, propicia el desarrollo integral, el pensamiento creativo, la motivación y el bienestar de las personas, alineando al capital humano a los objetivos de la organización.

f. Procesos. Las organizaciones de excelencia gestionan los procesos de creación de valor y de apoyo para garantizar la eficiencia, innovación y productividad en el logro de los objetivos estratégicos.

g. Administración del Conocimiento. Las organizaciones de excelencia gestionan la información y el conocimiento para generar aprendizajes que soportan la toma de decisiones en la ejecución de la estrategia, el cambio, la eficiencia operativa, la mejora continua y la innovación.

h. Resultados. Los resultados de la organización reflejan el impacto generado hacia sus grupos de interés, a partir del progreso logrado se generan aprendizajes tanto para el entendimiento de la causalidad del resultado como por la comparación con el desempeño de los líderes de la industria.

A continuación, se ilustra el esquema del Modelo Nacional para la Competitividad:

---

[102] Ídem pp. 10 - 23

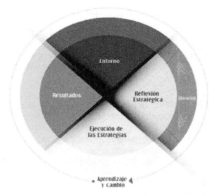

Figura 67. Tomada del Modelo Nacional para la Competitividad

Cada uno de los impulsores cuenta con prácticas impulsoras específicas, como se ilustra en la siguiente tabla, y que deben desarrollarse al interior de la organización:

Tabla 27. Impulsores y prácticas inductoras	
Impulsores	Prácticas inductoras
Reflexión Estratégica	Análisis Interno y externo Misión y Visión Objetivos Estratégicos Evaluación y aprendizaje Administración de riesgos
Liderazgo	Desarrollo del Liderazgo Desarrollo de la cultura organizacional Gobierno y ciudadanía corporativa
Responsabilidad Social Empresarial	Compromiso de la organización Programa de responsabilidad social Comunicación con grupos de interés Evaluación del impacto social
Enfoque al Cliente	Conocimiento del mercado e identificación de oportunidades Desarrollo de propuestas de valor Plan de Comercialización Satisfacción y experiencia del cliente
Capital Humano	Planeación del capital humano Sistemas de trabajo y transformación Administración del talento Desarrollo integral del personal

	Evaluación del desempeño
	Continuación de Tabla 27. Impulsores y prácticas inductoras
Procesos	Alineación, diseño, estandarización e innovación
	Gestión de proyectos de innovación
	Gestión de la cadena de suministro
	Gestión de procesos
	Mejora continua e innovación
Administración del Conocimiento	Gestión de la información
	Análisis y aprovechamiento de la información
Resultados	Resultados de responsabilidad social
	Resultados de capital humano
	Resultados de la cultura de innovación
	Resultados de procesos
	Resultados de mercados y clientes
	Resultados financieros

Tabla de elaboración propia a partir de la información del Modelo Nacional para la Competitividad (México)

Como se puede observar, en el elemento impulsor llamado *Reflexión estratégica* se encuentra la práctica inductora *Administración de riesgos* y se define lo siguiente:

Administración de riesgos.

a. [Las organizaciones de excelencia] Identifican las situaciones internas y externas de riesgo que podrían afectar su desempeño y viabilidad en el largo plazo.
b. [Las organizaciones de excelencia] Identifican y priorizan los riesgos ambientales (1) de operación (2), sociales (3), financieros (4) y estratégicos (5).

[Y se considera las siguientes definiciones:]

1. Riesgos ambientales son las disposiciones regulatorias, políticas, legales y de los accionistas en materia ambiental, así como los desastres naturales que podrían tener un impacto en la organización.
2. Riesgos de operación son aquellos impactos negativos en la integridad, continuidad de la operación, de tecnologías de información y medioambiental [quizá redundante por la categoría anterior].
3. Riesgos sociales son los cambios en las disposiciones regulatorias, políticas y económicas que tienen un efecto en la armonía social, así como los cambios en los hábitos de consumo y aquellos que genera la operación de la organización.
4. Riesgos financieros son los impactos económicos en los que podría incurrir la organización por afectaciones internas o externas.
5. Riesgos estratégicos son las situaciones que, por cambios en el entorno o cambios internos, se podría poner en riesgo la ejecución de los objetivos estratégicos.

c. [Las organizaciones de excelencia] Establecen mecanismos para anticipar riesgos y administrarlos de manera efectiva.

Entonces la recomendación para los interesados en desarrollar esta práctica inductora es adoptar los lineamientos de la norma ISO 31000 con las adecuaciones pertinentes de acuerdo con sus necesidades particulares o bien, como mínimo adoptar el alcance definido en la aplicación a los sistemas de gestión:

1. Adoptar un liderazgo orientado hacia la gestión de riesgos,
2. Incorporar una política para la gestión de riesgos o bien agregar a su política de calidad la parte correspondiente a la gestión de los riesgos,
3. Gestionar los riesgos a dos grandes niveles: a nivel dirección estratégica, considerando tanto el contexto como las partes interesadas de la organización, y aplicar la gestión a todos los procesos de la organización,
4. Definir las responsabilidades principales e incluir de rendición de cuentas como parte esencial de la gestión de riesgo,
5. Asignación de recursos para: capacitación, infraestructura, comunicación, tiempos utilizados por personal, entre otros,
6. Sistema de comunicación, en todas las etapas de la gestión de riesgos y que considere todos los actores involucrados.

Contenido alfabético

Relación de tablas

Relación de figuras

Fuentes de información

Bibliografía

1. ASQ Food, Drug and Cosmetic Division. (2006). *HACCP: Manual del Auditor de Calidad.* España: Acribia.
2. Chapman, R. (2006). *Simple Tools and Techniques for enterprise Risk Management.* England: John Wiley & Sons.
3. COBIT. (2012). Material adicional de COBIT 5 - Introducción. Tomado de http://www.isaca.org/COBIT/Pages/COBIT-5-spanish.aspx
4. COBIT. (2014). Product detail COBIT 5 for Risk. Tomado de: https://www.isaca.org/bookstore/Pages/ProductDetail.aspx?Product_code=WCB5RKS
5. Coleman, T. (2011). *A practical guide to risk management.* United States of America: The Research Foundation of CFA Institute.
6. Committee of Sponsoring Organizations of the Treadway Commission (COSO) (2017). Enterprise Risk Management, Integrated with Strategy and Performance. 2.a ed., June 2017, volume I. COSO
7. COSO. (2017). *COSO ERM Executive Summary* (documento traducido al español). United States: COSO.
8. Cuartas A. (2012). *Diseño, implementación, seguimiento y mejoramiento del sistema de gestión de riesgos.* Colombia: Universidad Sergio Arboleda. Seccional Santa Marta.
9. Cuatrecasas, L. (2010). *Gestión Integral de la Calidad: Implantación, Control y Certificación.* España: Profit.
10. De Lara Haro, A. (2016). *Medición y Control de Riesgos Financieros.* 3ed. México: Limusa.
11. Decker A. and Galer D. (2013). *Enterprise Risk Management: Straight to the Point.* United States of America: Create Space Independent Publishing Platform.
12. Dinámica Heurística S.A. de C.V. (2012). Metodologías de Análisis de Riesgos en los Procesos. Curso teórico práctico utilizando la familia SCRI de herramientas de software para análisis de riesgo en los procesos. Presentado por Dinámica Heurística S.A. de C.V. México
13. Dirección General de Relaciones Laborales de Cataluña. (2006). *Manual para la identificación y evaluación de riesgos laborales.* Generalidad de Cataluña: España
14. Escorial, A. (2014). *Taller de Gestión de Riesgos.* Foro Internacional de la Calidad 2014, Madrid.
15. Ford Motor Company, Chrysler LCC y General Motors Corporation. (2008). *Potential Failure Mode and Effect Analysis (FMEA). Reference Manual.* Estados Unidos: Ford Motor Company, Chrysler LCC y General Motors Corporation. Traducción libre por Daniela Martínez Vivanco y Oscar González Muñoz.
16. Galindo. A. (1998). *Manual para Comisiones de Seguridad e Higiene. México: Secretaría del Trabajo y Previsión Social.* Recuperado de: http://fm.uach.mx/servicios/2011/10/31/manual_a.pdf
17. Galindo. X. (2012). *Sistemas Instrumentados de Seguridad.* Junio 2012. Universitat Rovira Virgili. Pp.27-29
18. Gaultier-Gaillard, J. y Louisot, J. (2014). *Diagnostic des Risques. Identifier, analyser et cartographier les vulnérabilités.* France : AFNOR éditions.
19. González, O. (2014) *Guía práctica para la gestión de procesos. Hacia la optimización de los resultados organizacionales.* Editorial: Editorial académica española.

20. González, O.(2014). *Análisis de Peligros e Identificación de Riesgos en Procesos*. Curso proporcionado para TEEDUCAP para Pemex Refinación, Tabasco: México.
21. González, O. (2015). *Actualización de ISO 9001:2015 e ISO 31000:2009*. INLAC. Curso impartido para Pemex Petroquímica, Veracruz México.
22. González, O. (2015). *Gestión Riesgos, Como afrontarlos en las organizaciones*. Presentado en el XIX Foro Mundial de Calidad INLAC, Quintana Roo: México.
23. Mejía, R. (2013). *Identificación de Riesgos*. Colombia: Fondo Editorial Universidad EAFIT.
24. Montaño, Josefina. (1995). *Administración de riesgos en hotelería*. México: Trillas.
25. Pemex. (2012). *Guías técnicas para realizar análisis de riesgos de proceso*. Dirección Corporativa de Operaciones Subdirección de Disciplina Operativa Seguridad, Salud y Protección Ambiental. México.
26. Ricardo-Cabrera, Henry, Medina-León, Alberto, Abab-Puente, Jesús, Nogueira-Rivera, Dianelys, Sánchez-Díaz, Odalis, & Nuñez-Chaviano, Quirenia. (2016). Procedimiento para la identificación y evaluación de las oportunidades de mejora: medición de la factibilidad e impacto. *Ingeniería Industrial, 37*(1), 104-111. Recuperado en 08 de noviembre de 2019, de http://scielo.sld.cu/scielo.php?script=sci_arttext&pid=S1815-59362016000100011&lng=es&tlng=es.
27. Rodríguez, J. (2009). *Control Interno*. México: Trillas.
28. Román, A. (2017). *Administración del riesgo operacional (manual de curso)*. Presentado por NUMERAVI. México.
29. Rubio, J. (2004). *Gestión de la Prevención de Riesgos Laborales*. España: Diaz de Santos.
30. Santillana, J. (2015). *Sistemas de control interno*. México: Pearson Educación
31. Secretaría de la Función Pública. (2016). *Formato de Administración de Riesgos Institucional*. Recuperado de: https://normasapf.funcionpublica.gob.mx › NORMASAPF
32. Siles, N. (2010). *Evaluación de riesgos: Planificación de la acción preventiva en la empresa*. Colombia: Ediciones de la U: Bogotá.
33. SPF. MODELO DE ADMINISTRACIÓN DE RIESGOS.(2009). México. Recuperado de: https://es.scribd.com/doc/139304640/20090826-admon-riesgos.
34. Tarantino, A. (2006). *Manager's Guide to Compliance*. John Wiley & Sons: New York.

Marco legal

1. ACUERDO por el que se emiten las Disposiciones y el Manual Administrativo de Aplicación General en Materia de Control Interno. Secretaría de la Función Pública. México: 2016. Recuperado de: https://www.gob.mx/cms/uploads/attachment/file/174036/acuerdo-disposiciones-manual-CI.pdf
2. Comisión Nacional Bancaria y de Valores. (2018*). Disposiciones de Carácter General Aplicables a las Instituciones de Crédito*. México. Recuperado de: https://www.cnbv.gob.mx/Normatividad/Disposiciones%20de%20car%C3%A1cter%20general%20aplicables%20a%20las%20instituciones%20de%20cr%C3%A9dito.pdf
3. Comité de Basilea de Supervisión Bancaria. (2006). *Convergencia Internacional de la Medida del Capital y Estándares: Un marco de referencia revisado*. Recuperado de: https://www.bis.org/publ/bcbs128.pdf

4. ISO Guide 73. (2009). Risk management Vocabulary. Switzerland: International Organization for Standardization.
5. ISO 9001. (2015). *Sistemas de Gestión de la Calidad. Requisitos.* España: AENOR.
6. ISO 14001. (2015). Sistema de administración Ambiental- Especificaciones con guía para su uso. España: Comité Técnico ISO/TC 207 Gestión ambiental.
7. ISO/IEC 20000-1. (2011). Information technology – Service management. Part 1: Specification. Switzerland: International Organization for Standardization.
8. ISO 22000. Sistemas de Gestión de Inocuidad Alimentaria. Suiza: International Organization for Standardization.
9. ISO 22301. (2012). Gestión de la continuidad del negocio. Suiza: International Organization for Standardization.
10. ISO/IEC 27001. (2015). Tecnología de la información. Técnicas de seguridad. Sistemas de Gestión de la Seguridad de la Información. Suiza: International Organization for Standardization / International Electrotechnical Commission.
11. ISO/IEC 27005 (2011). Tecnologías de Información. Técnicas de Seguridad. Administración de riesgos en Seguridad de la información.
12. ISO 31000. (2018). Gestión del Riesgo – Directrices. Suiza: International Organization for Standardization
13. EN 31010. (2010). Gestión del Riesgo. Técnicas para la apreciación del Riesgo. España: AENOR.
14. IEC 31010 – Edición en Inglés y Francés. (2019). Risk management – Risk assessment techniques / Management du risque – Techniques d'appréciation du risqué. Suiza: IEC.
15. ISO 45001. (2018). Sistemas de gestión de la seguridad y salud en el trabajo – Requisitos con orientación para su uso. International. Suiza: International Organization for Standardization.
16. LINEAMIENTOS generales para la evaluación de los Programas Federales de la Administración Pública Federal. Secretaría de la Función Pública. México: 2007. Recuperado de: http://www.dof.gob.mx/nota_to_doc.php?codnota=4967003&ulang=es
17. *NMX SAST 001 IMNC. (2008). Sistema de administración de seguridad y Salud en el Trabajo – Especificación. México:* Instituto Mexicano de Normalización y Certificación A.C. y Comité Técnico de Normalización Nacional de Sistemas de Administración de Seguridad y Salud en el Trabajo (CONTENSASST).
18. NOM-031-STPS. (2011). Construcción-Condiciones de seguridad y salud en el trabajo. México: Secretaría del Trabajo y Previsión Social.
19. OHSAS 18001. (2007). Sistema de Gestión en Seguridad y Salud Ocupacional – Requisitos. España: AENOR.
20. OHSAS 18002. (2008). Sistemas de gestión de la seguridad y salud en el trabajo. Directrices para la implementación de OHSAS 18001:2007. España: AENOR.
21. Public law 107 - 204. (2002). Sarbanes – Oxley Act. United States of America.: 107th Congress.
22. STPS (2014). Reglamento Federal de Seguridad y Salud en el Trabajo. Diario de la Federación. Jueves 13 de noviembre de 2014.p. 67.
23. Standard MIL – STD – 882D. (2000). Standard Practice for System Safety. United States of America: Department of Defense.

Oscar González Muñoz

Oscar González Muñoz.

Ingeniero por el Instituto Tecnológico de Tlalnepantla, Maestro en Auditoría por la Facultad de Contaduría y Administración (FCA) de la Universidad Nacional Autónoma de México (UNAM) y actualmente Doctorante en Ciencias Administrativas en la Escuela Superior de Comercio y Administración del Instituto Politécnico Nacional (IPN).

Experiencia laboral desde inspector de calidad hasta gerente corporativo en diferentes organizaciones de renombre de la iniciativa privada y cuenta con varias certificaciones como auditor a nivel nacional e internacional. Ganador del Primer lugar en el concurso "XII Premio Nacional de Tesis y Trabajos de Investigación para la Obtención de Grado Académico" organizado por la Asociación Nacional de Facultades y Escuelas de Contaduría y Administración (2007).

Se desempeña como asesor, capacitador y conferencista a nivel nacional (México) e internacional en temas de sistemas de gestión, auditoría y administración. También imparte cátedra a nivel maestría en la FCA de la UNAM, en la Universidad Internacional de la Rioja (UNIR-México), y eventualmente en la Universidad del Valle de México campus Villahermosa, en diferentes materias como: Auditoría de la Calidad, Auditoría Ambiental, Herramientas de Calidad para la Mejora Continua, Auditoría a Sistemas Integrados, Normalización, Dirección de la productividad, Gestión de riesgos, entre otras.
ORCID 0000-0003-1104-241X

52 1 5611838583 (México)
osocargm@acin.com.mx

Made in the USA
Coppell, TX
30 May 2024

32952026R00095